Les astres
et l'amour

BARBARA CONFORTI
FABIEN LEMERCIER

25

COLLECTION LUMIÈRES

Les astres et l'amour

DÉCOUVREZ VOTRE PARTENAIRE IDÉAL

ÉDITIONS
de Bressac

© Sabre Communication, Paris, 1998

Illustration de la couverture : Charles Vinh
Conception graphique : Christiane Séguin
Infographie : Folio infographie
Révision : Isabelle Allard

Dépôt légal 2ᵉ trimestre 1998

ISBN 2-84320-032-6

DIFFUSION / DISTRIBUTION

AMÉRIQUE
Messageries ADP (filiale de Sogides ltée)
955, rue Amherst, Montréal (Québec) H2L 3K4
(514) 523-1182

FRANCE
Casteilla-Chiron Diffusion, 10, rue Léon-Foucault, 78184 Saint-Quentin en Yvelines, France
(01) 30.14.19.57

BELGIQUE
Diffusion Vander s.a., 321, avenue des Volontaires, B-1150 Bruxelles, Belgique
(2) 762.98.04

SUISSE
Transat s.a., Rte des Jeunes, 4 ter, Case postale 125, 1211 Genève 26, Suisse
342.77.40

Publié par Éditions de Bressac, une marque de Sabre Communication
5, avenue du Maréchal Juin, 92100 Boulogne, France
(01) 41.22.05.29

Imprimé et relié au Canada

Table des matières

Préface

Quelle alchimie nous pousse vers une personne plutôt qu'une autre ? Pourquoi certaines relations amoureuses connaissent-elles le succès et d'autres l'échec ? Poètes, psychologues et philosophes se sont longuement penchés sur le sujet, puisant dans leur expérience subjective pour tenter d'expliquer ces phénomènes. Les astrologues, quant à eux, répondent à ces questions depuis l'Antiquité en interrogeant les astres et en observant leur influence sur notre comportement. Éclairés par la sagesse des étoiles, ils nous prédisent si nous connaîtrons amour, sincérité et sérénité auprès d'une personne donnée.

Déterminisme ou libre arbitre... Dans l'approche de l'autre, l'intuition est essentielle. Coup de foudre, élan du cœur, appel des sens, méfiance épidermique, antipathie primaire, des sensations se réveillent en nous, impérieuses, apparemment inexplicables. L'expérience amoureuse est la source et le moteur de la vie créative. Elle nous fait éprouver toute la gamme des émotions humaines et libère le contenu de notre inconscient.

Depuis l'aube des temps, l'homme regarde le ciel en essayant de percer le voile du futur. Son désir de vivre, de s'exprimer, l'entraîne inéluctablement vers le contact avec autrui, vers la compréhension et le partage, sans lesquels il n'est rien. La rencontre amoureuse est le terrain de toutes les métamorphoses, la magie de l'union des contraires, l'instant où deux êtres ne font plus qu'un.

Cette harmonie, l'astrologie en a étudié toutes les vertus, tous les signes favorables, les transmettant et les affinant au cours des siècles, déterminant les terrains d'entente, évaluant les chances en amour. Nombreux sont les ouvrages qui ont tenté d'emprisonner la notion de compatibilité astrologique, expliquant en quelques pages quels signes fusionnent ou se repoussent.

«Est-ce l'homme ou la femme de ma vie?» Telle est la question cruciale à laquelle l'astrologue est toujours invité à répondre. La signature des planètes nous enseigne bien des secrets, dont ceux inhérents à l'amour et au désir. Certains caractères s'unissent en douceur, d'autres dans le tumulte. Le magnétisme des attractions n'est pas dicté par le chaos, les liens invisibles se tissent logiquement, sous le regard attentif des étoiles.

Pourtant, certains astrologues se sont résolument désintéressés des couples astrologiques, considérant à juste titre que l'amour ne s'écrit pas au tableau noir. Passion effervescente ou union paisible, liaison ou mariage, entente cordiale ou ruptures à répétition: dans le mystère des sentiments, tout est possible. N'importe quel signe peut vivre le grand amour avec n'importe quel autre. Les astres esquissent la trame du destin, mais chacun peut choisir à tout instant d'en être le jouet ou le libre acteur.

CHAPITRE 1

Les affinités entre les signes

1

Le zodiaque est un système symbolique. Il dessine de façon imagée les différents traits de caractère suivant le rythme de la nature, le mouvement des saisons, le jour et la nuit, la rencontre de la terre et du ciel. Chaque année, le Soleil parcourt l'ensemble des douze signes, du Bélier, quand la végétation surgit au printemps, au Poissons, instant où elle trame sa renaissance.

Au fil des siècles, la tradition astrologique a rassemblé des observations sur les mouvements du ciel et les épisodes de l'histoire humaine. De tout temps, les prédictions amoureuses ont fasciné les astrologues. Les saisons y jouent un rôle déterminant : on n'aime pas de la même manière en été ou en hiver, sur la plage ou sous la couette !

SELON LES SAISONS
Les signes du printemps

Bélier, Taureau et Gémeaux veulent se distinguer. Leur moteur se résume au besoin de désirer (Bélier), de posséder (Taureau) et de découvrir (Gémeaux). Les trois caractères vont de l'avant, c'est leur principale caractéristique dans le domaine des sentiments. Entre ces trois signes, la passion n'est pas garantie, car ils veulent tous exprimer leur moi. Mais leur philosophie générale d'acquisition leur permet de bien comprendre leurs motivations respectives.

Les signes de l'été

Cancer, Lion et Vierge expriment la volonté profonde de se définir clairement. Leur quête de stabilité (Cancer), d'activité (Lion) et d'analyse (Vierge) passe par leur propre vision des choses. C'est le «je suis» qui, s'il tourne mal, devient «moi je». Pour les trois signes, les racines ont une très grande importance; ils se respectent au-delà de leurs différences de comportement.

Les signes de l'automne

Balance, Scorpion et Sagittaire accordent aux relations humaines une attention toute particulière. Qu'ils papillonnent (Balance), recherchent l'union (Scorpion) ou poursuivent leurs idéaux (Sagittaire), ils sont tous tendus vers l'avenir et la rencontre. Conscients de la nécessité de s'unir à autrui, ils se sentent bien ensemble et sont solidaires. Ils aiment les aventures, chacun à leur façon.

Les signes de l'hiver

Capricorne, Verseau et Poissons se distinguent par leur sentiment commun d'être dépendants d'autrui, même s'ils rêvent du contraire. Le détachement du Capricorne n'a d'égal que son sens du devoir et son ambition. Le Verseau aime plus que tout sa liberté et l'évasion, mais il est également le plus fraternel de tous les signes. Le Poissons joue avec tous les courants, toutes les couleurs du prisme, mais ne peut jamais se soustraire à l'influence d'autrui. Les trois signes hivernaux rêvent de ne pas être dérangés, mais le sont toujours, car ils sont en mesure d'aider autrui mieux que personne.

L'influence des quatre saisons joue un rôle essentiel dans les premiers pas de la rencontre amoureuse. Entre signes de la même saison, les relations sentimentales se fondent sur une compréhension objective du partenaire. Celle-ci est d'autant plus forte quand les signes se suivent, dans l'alternance signe masculin-signe féminin.

SELON LE CONCEPT MASCULIN-FÉMININ

L'astrologie établit une distinction entre les signes masculins et féminins, qui sont faits pour fonctionner l'un avec l'autre et dont les champs d'activité peuvent se conjuguer de façon efficace. Cette alternance masculin-féminin démarre avec le Bélier, masculin, associé au féminin Taureau. Puis le Gémeaux masculin s'accomplit dans le féminin Cancer, et ainsi de suite jusqu'au masculin Verseau et au féminin Poissons. Par l'observation du passage du jour et de la nuit, du Soleil et de la Lune, de l'existence créative de l'homme et de la femme, l'astrologie a appliqué le concept masculin-féminin au zodiaque. Le signe masculin agit, le féminin réagit.

Dans la même saison

Le Bélier (masculin) et le Taureau (féminin) ont pour eux la force, une même volonté de vivre, de se créer une identité, de s'affirmer. Ils instaurent avec autrui des relations très constructives, mais ils doivent auparavant en définir très nettement les contours. Le flou n'est pas leur fort! Le Bélier a besoin du Taureau pour appliquer toute son énergie à un objectif bien défini.

Le Lion (masculin) et la Vierge (féminin) veulent tous deux s'exprimer et accordent une grande importance au regard d'autrui. Très décidés, ils cherchent des miroirs, essaient de se créer une image. S'ils surmontent leur orgueil, ils peuvent s'harmoniser avec leur entourage et mettre en valeur leur sens du partage. Sans le juste milieu de la Vierge introvertie, le Lion, extraverti, peut s'égarer dans son petit théâtre permanent.

La Balance (masculin) et le Scorpion (féminin) sont très attirés par le monde de la pensée et les préoccupations socioculturelles. Les relations humaines et les émotions, indispensables à leur bien-être, les gouvernent souvent. En comparant leurs expériences, ces deux signes arrivent à comprendre l'essentiel des règles de la vie.

Le Verseau (masculin) et le Poissons (féminin) ont moins d'énergie que les autres signes. Totalement perméables à leur environnement, ils adorent échanger, mais peuvent se replier très vite sur eux-mêmes. Ensemble, ils sont comme frère et sœur.

Au carrefour des saisons

Le Gémeaux (masculin) et le Cancer (féminin), ainsi que le Sagittaire (masculin) et le Capricorne (féminin), placés à la jonction des saisons, au moment des solstices d'été et d'hiver, forment des paires originales, imbriquées dans de perpétuelles transitions.

La mémoire et la faculté de créer des liens unissent les signes Gémeaux et Cancer, tous deux très sensibles à l'esthétique et au prestige. Le Cancer apporte au Gémeaux une base stable où reprendre ses esprits lorsqu'il ne sait plus où il en est après avoir papillonné un peu partout.

Le sens de l'avenir et des responsabilités caractérise le Sagittaire et le Capricorne, particulièrement conscients, en bien ou en mal, du rôle de chef qu'ils doivent assumer. Le Capricorne donne à l'idéalisme du Sagittaire une dimension bien réelle.

D'après la tradition astrologique, toutes ces paires ne connaissent pas forcément le grand amour. Au premier abord, les signes ainsi couplés ne s'attirent pas, ils ont même plutôt tendance à se gêner, car leurs registres ne sont pas assez éloignés. Mais avec le temps, une compréhension mutuelle peut les amener à former un couple plus solide que passionné.

Dans une inversion des rôles

Par essence, un signe est toujours compris entre deux autres. Dans l'alternance classique masculin-féminin, les duos qui se succèdent sont efficaces et objectifs. Mais lorsque la paire est formée d'un signe féminin en action et d'un masculin en réaction, ils s'agacent. En dépit de nombreux points communs, ils éprouvent des difficultés à avancer ensemble.

Le Gémeaux (masculin) déplore la fixité du Taureau (féminin), qui le trouve trop moustique à son goût. Ils recherchent par ailleurs tous deux les plaisirs personnels. Leur péché mignon : ils ont tendance à se prendre, à tort ou à raison, pour des personnalités admirables.

Le Lion (masculin) ne comprend pas les angoisses du Cancer (féminin), malgré leur attachement commun à la famille et à la position sociale. Leur sens des valeurs offre un terrain d'entente matérialiste, les deux étant soucieux de préserver les héritages du passé.

La Balance (masculin), extrêmement sociable, trouve la Vierge (féminin) trop paradoxale et précise. Mais les deux se rejoignent très bien dans le domaine de la pensée. Leur rencontre, située à l'équinoxe d'automne, est marquée par une extrême concentration.

Le Sagittaire (masculin) regarde de haut les agissements du Scorpion (féminin), lui opposant son idéalisme, voire sa morale. Pourtant, les deux signes ont en commun un investissement total dans tout ce qu'ils entreprennent. Ensemble, ils savent trouver les moyens de se libérer des tensions qui les habitent.

Le Verseau (masculin) et le Capricorne (féminin) gardent leurs distances, chacun préférant rester dans sa bulle. Mais le taciturne Capricorne gêne le Verseau aérien. Leur relation s'articule autour du goût du secret.

Le Bélier (masculin) et le Poissons (féminin) sont inextricablement liés. Complètement dissemblables dans leurs comportements, ils établissent une connivence mystérieuse, entre les profondeurs de la mer et le retour à la surface.

SELON LES ÉLÉMENTS

Les douze portes du zodiaque sont autant de clés pour la vie. Chaque signe a son propre chemin, dicté par sa nature, mais il existe des affinités transversales susceptibles de relier des êtres nés à des saisons différentes. Il s'agit du jeu amoureux et créatif gouverné par les éléments Feu, Eau, Air et Terre.

Dans la tradition astrologique, l'association des signes aux éléments s'est faite de façon aussi naturelle que la création des douze signes eux-mêmes. L'existence bat au rythme des saisons, du mouvement de la nature. La division du zodiaque est la simple observation de douze états de la nature, qui s'échelonnent du printemps à la sortie de l'hiver.

Les éléments forment la structure du monde où nous vivons. Nous respirons de l'air, buvons de l'eau, marchons sur la terre... Quant au feu, certains disent que l'homme l'a inventé en frottant deux silex, d'autres que Prométhée l'a volé aux dieux de l'Olympe pour le donner aux hommes.

Les astrologues estiment que la rencontre entre deux signes du même élément représente un lien très favorable, la promesse de se donner spontanément beaucoup d'énergie mutuelle sur une seule longueur d'onde. On ne peut rien se cacher et on se reconnaît instinctivement.

Les signes de Feu (Bélier, Lion, Sagittaire) sont fascinés par la lumière et le mouvement. Les signes de Terre (Taureau, Vierge, Capricorne) ont besoin d'éprouver la solidité de ce qui les entoure. Les signes d'Air (Gémeaux, Balance, Verseau) sont attirés par les atmosphères. Les signes d'Eau (Cancer, Scorpion, Poissons) ont la même perception fluide du monde.

SIGNES DE FEU : DE L'ÉLECTRICITÉ DANS L'AIR

Impétueux, entreprenants, habités par l'exaltation, le Bélier, le Lion et le Sagittaire provoquent les situations, insufflent un dynamisme transformateur aux événements. Avancer est leur nature profonde, ils ne se dérobent pas et font très vite savoir qui ils aiment ou pas. Actifs, ils désirent à tout prix se dépasser, partir à la conquête de quelque chose, que ce soit en amour ou ailleurs. Leur baromètre : leur motivation et leur vitalité n'aiment pas tourner à vide. Sinon, gare aux dérapages et aux coups de blues !

Ils sont passionnés et entendent s'affirmer. Tous trois y arrivent le plus souvent, mais la tension intérieure les rend excessifs. Leurs ambitions et leurs pulsions de lutte créent un climat plutôt agité dans leur ménage, car ils ne renoncent jamais à essayer de transformer leur partenaire, qui n'apprécie pas toujours.

L'emportement fait partie intégrante de la nature des signes de Feu. Leur énergie aidant, ils se révèlent particulièrement agressifs lorsqu'ils sont poussés dans leurs derniers retranchements. Heureusement, une fois la crise passée, le Bélier n'est pas rancunier. Par nature, il ne regarde pas en arrière. Il se focalise surtout sur son couple, sur l'accomplissement de ses désirs et sur la satisfaction de son intense vitalité (y compris sexuelle). Dans sa jeunesse, il est souvent trop impulsif ; les refus amoureux de dernière minute attisent son désir inné de séduction. Secrètement, c'est un romantique qui découvre l'érotisme et s'y précipite spontanément.

Le Lion est un autre type de Feu, plus discipliné. Comme le Bélier, il va de l'avant, mais son orgueil et sa rigidité fusionnent avec sa générosité et son esprit protecteur. Attention à ne pas le provoquer, car il se contrarie vite et ressasse les rancœurs. En amour, il réclame des preuves, n'est pas très intuitif et s'affranchit difficilement des convenances. Sexuellement, il se libère à travers le jeu et l'ivresse, et sa vantardise des débuts s'estompe rapidement. Si sa libido est très exigeante, il s'assouplit avec l'âge et devient de plus en plus sensible au chant des sirènes. Dans la vie quotidienne du couple, le Lion conserve une grande autonomie. Il lui arrive d'être déprimé, abattu, mais il se relève toujours.

Le Sagittaire possède lui aussi le dynamisme et l'enthousiasme caractéristiques des signes de Feu. Il se montre très susceptible, mais a la capacité de résoudre les conflits, de comprendre des points de vue à cent lieues des siens. Une certaine gravité et un instinct de protection prononcé le rendent parfois difficile à cerner. Il aime s'abstraire dans ses idéaux et a du mal à consacrer son attention à son entourage. Les amours impossibles sont une de ses spécialités, tout comme sa réputation d'être un excellent parent. Confiant dans l'avenir, le Sagittaire tisse des liens sans crainte de dépendre d'autrui et s'adapte quand les circonstances l'imposent. Sexuellement, il s'aide de l'imagination et se montre chaud sous des abords un peu froids.

Bélier, Lion et Sagittaire, régis respectivement par les planètes Mars, Soleil et Jupiter, aiment intensément, avec des emballements et des rétractions brutales, des surexcitations et des réactions rapides. Leurs désirs à tendance dominatrice ne font pas dans la nuance. Ils sont prêts à combattre et à vaincre les obstacles.

Lorsque deux signes de Feu forment un couple, celui-ci ne passe pas inaperçu. Les deux sont fiers l'un de l'autre et le montrent, jusqu'à la crise de jalousie en public. Le Lion estime énormément le Sagittaire, qui sait l'apprivoiser. Le Bélier admire le Lion, qui s'enflamme sous ce regard franc et flatteur. Le Sagittaire est séduit, fasciné par le Bélier, qui lui cède de bonne grâce. Tous trois peuvent s'aimer à long terme à la condition de réussir à ménager leur susceptibilité commune.

Couples de Feu :
Jane Birkin (Sagittaire) et Serge Gainsbourg (Bélier)
Elsa Morante (Lion) et Alberto Moravia (Sagittaire)
Édith Piaf (Sagittaire) et Marcel Cerdan (Lion)

SIGNES DE TERRE : LE SENS DE L'ESPACE VITAL

Taureau, Vierge et Capricorne ont une grande capacité à concentrer leur énergie sur des projets à long terme. Dans tous les couples où ils sont présents, la fidélité est quasi garantie. Mais n'essayez pas de les titiller, car ils peuvent se refermer comme des huîtres. Ils ont souvent des tempéraments forts et il est assez difficile de les faire changer d'avis, car ils emploient toutes les armes de la rationalité. Le bon sens du Taureau, l'analyse de la Vierge et la synthèse active du Capricorne peuvent se révéler très utiles ou tout bonnement pénibles pour leur partenaire amoureux.

Désirant toujours organiser leur vie à deux, ils ont tendance à se montrer conservateurs dans leurs choix affectifs. Mais comme ils sont dotés de patience et d'endurance, ils apportent dans la corbeille de l'union les ingrédients nécessaires à la longévité du couple. Ils travaillent au bénéfice de leur couple, ne brusquent jamais leur partenaire et se montrent toujours rassurants.

Réalistes et souvent sages avec l'âge, Taureau, Vierge et Capricorne aspirent à une grande cohésion, à une stabilité qui leur est indispensable. Ils peuvent devenir de bons conseillers pour leur partenaire, car leur droiture ne se discute pas. Mais si leur *ego* est mis en danger par une relation affective, de profondes scissions et des blessures d'amour-propre peuvent se produire dans le secret de leur âme.

Le Taureau, doué d'une force naturelle, manifeste de l'appétit pour la vie. Il ne faut pas le déranger dans ses habitudes, car il aime prendre son temps. En couple, il veut construire. Cependant, quand il reçoit de l'affection, il se plie volontiers à un partenaire directif. Sinon, ses amours peuvent tourner à la routine ou aux situations pesantes, car il a une nature entêtée et vit très mal les séparations.

Au quotidien, le terrien Taureau offre une épaule où se réfugier. Il vit l'amour avant tout comme une activité physique et mentale bienfaisante. Pour obtenir satisfaction, il n'hésite pas à dévoiler ses tendances à la domination et à la possession. Toutefois, on peut compter sur le Taureau. Il sait aimer, est romantique et compatissant. Il est capable de sentiments délicats, mais sans inhibitions sexuelles. En fait, dans ce domaine, il se livre franchement, ne résistant à aucun appât et cherchant les récompenses promises par les plaisirs.

La Vierge et le Capricorne sont les célibataires du zodiaque, un trait de caractère qui déteint sur leur comportement en couple. Ils ont tendance à vivre à côté de leur partenaire et non avec lui: se sentir en osmose affective et sexuelle ne leur semble pas indispensable pour aimer. L'attirance intellectuelle et le sens des réalités sont la pierre angulaire de toutes leurs relations sentimentales.

La Vierge aime observer son partenaire et parvient à très bien le connaître, ce qui n'est pas toujours agréable pour l'autre, victime de son sens critique. Mais la Vierge intègre si bien les petites manies de son *alter ego* qu'elle réussit facilement à s'adapter à ses sautes d'humeur. Malgré son tempérament nerveux, elle a une grande patience, mais peut se révéler agaçante à la longue avec son côté «je sais tout». Sexuellement, la Vierge se prête facilement au sacrifice de son plaisir au profit de celui de son partenaire. Mais l'amour charnel libère les pulsions explosives que l'imagination de la Vierge crée et refoule au quotidien. Sous son apparence sage et prudente couvent parfois d'étonnants coups de tête.

Le Capricorne laisse le temps faire son œuvre, c'est un partenaire idéal dans la durée. Ce grand solitaire semble toutefois plus soucieux de la cohésion du couple que du renouvellement de l'amour. Il ne change jamais de cap, ne cède pas au découragement, mais ne se laisse pas attendrir. Avec son attraction terrienne pour la stabilité, son auto-discipline et sa lucidité, il est d'un abord franc. Sentimen-talement, le Capricorne porte souvent des blessures secrètes et cherche les joies les plus simples. S'il ne les trouve pas, il peut se détacher jusqu'à en devenir inaccessible. À travers le sexe, il se débarrasse de ses inhibitions en éprouvant une intense libération. Quand il se sent investi du rôle de chef, il se laisse apprivoiser et accepte les projets de son parte-naire.

Taureau, Vierge et Capricorne, sous l'influence respective de Vénus, Mercure et Saturne, aiment pour longtemps. Ils peuvent même s'obstiner à poursuivre des relations avec des partenaires qui ne leur conviennent pas. Les couples qu'ils forment ensemble construisent un espace de vie commune stable, où chacun respecte la vie de l'autre, parfois jusqu'à l'ennui. La Vierge attire l'attention du Taureau, dont elle apprécie le comportement sentimental. Le Capricorne se laisse séduire par la discrétion habile de la Vierge qui, de son côté, le trouve rassurant. Le Taureau rêve d'unir son appétit à l'ambition du Capricorne, qui apprécie la vie saine promise par son partenaire Taureau.

Avec les autres éléments du zodiaque, les trois signes de Terre se montrent solidaires, mais ont besoin de savoir où ils mettent les pieds.

Couples de Terre :
Françoise Hardy (Capricorne) et Jacques Dutronc (Taureau)
Ingrid Bergman (Vierge) et Roberto Rossellini (Taureau).

SIGNES D'AIR : S'ADAPTER OU S'ÉCHAPPER
Souvent insaisissables, même entre eux, Gémeaux, Balance et Verseau manifestent pourtant une très grande ouverture envers autrui. C'est là leur paradoxe : ils veulent tisser des

liens activement, mais ne les supportent pas dès que ceux-ci menacent leur liberté.

Gare aux courants d'air... Les trois signes se révèlent souvent très distraits au quotidien et leur partenaire doit prendre l'habitude d'agir sans les attendre. N'importe quelle rencontre de hasard peut les faire dévier de leur route !

Gémeaux, Balance et Verseau, vifs d'esprit, établissent très facilement la communication avec les autres. Ils discutent longuement avec leur partenaire amoureux, mais n'ont pas l'œil dans leur poche, donnant l'impression de ne pas être vraiment là. Ils se font facilement influencer et entraîner ailleurs, car les décisions ne sont pas leur fort.

Ces êtres se sentent à leur aise dans les situations d'expansion. Ils regimbent devant les contraintes, usant de leur charme pour les contourner, ce qu'ils réussissent le plus souvent. Ces compagnons agréables et stimulants cherchent des relations amicales. On leur pardonne plus facilement leurs petits travers qu'à d'autres signes.

Le Gémeaux insuffle une grande souplesse à son entourage. Tout nouveau contact représente pour lui une aventure passionnante. Opportuniste, il sait utiliser l'énergie de l'autre à des fins très personnelles. En couple, rien ne l'ennuie plus que les répétitions et les rituels : il s'accomplit beaucoup mieux dans la complicité de l'instant, aimant le parfum de l'ambiguïté.

Sa nature ambitieuse et son angoisse secrète de l'avenir poussent le Gémeaux vers des unions de circonstance. Sexuellement, il a du mal à briser la glace, il préfère jouer, se lancer dans les expériences les moins conventionnelles, plutôt que d'exprimer ses sentiments. Quand ses barrières tombent, il peut exploser affectivement, donner parfois l'impression d'être dépassé par les événements. Néanmoins, il s'adapte toujours.

La Balance, elle, a la capacité de comprendre et de communiquer avec tous les signes du zodiaque. Dans l'échange, elle laisse la part belle à l'autre et se montre très diplomate.

Aussi à l'aise dans l'intimité qu'en société, elle partage facilement son idéalisme et ses espérances amoureuses. Ayant beaucoup d'attentes, elle se montre désolée en cas de déception.

Sous son allure légère s'abrite un esprit très philosophe, plein de sang-froid. Mais elle ne sait pas profiter des excellents conseils d'équilibre qu'elle donne à autrui. En amour, sa joie de vivre prend toujours le dessus, facilitant la vie de son partenaire, qui a quelquefois tendance à abuser de cet optimisme. Sexuellement, la Balance devient à tour de rôle initiatrice et initiée, protectrice et protégée. Elle cherche sans cesse, par le biais du couple, le point d'équilibre entre l'amour et l'esprit.

Par sa concentration, le Verseau est le moins joueur des signes d'Air. Il est attiré par le changement, mais a besoin de concrétiser son idéal amoureux : le havre de paix. Les cris le font rapidement battre en retraite dans le monde du silence qu'il aime tant. Sur le plan sentimental, il se montre délicat et communicatif. Très secret, il a le sens de l'anticipation. Ses inquiétudes, son côté consciencieux et son besoin de protection prennent la plupart du temps le dessus sur son désir de liberté et de projection vers un avenir transformé.

La grande ouverture d'esprit du Verseau l'aide cependant à trouver des solutions pour deux, domaine où il se révèle très habile et ingénieux. Sexuellement, il acquiert une grande maîtrise de son corps et peut se montrer extrêmement joyeux s'il arrive à apaiser ses violentes angoisses cachées. L'amour peut le métamorphoser et faire de lui un partenaire idéal.

Gémeaux, Balance et Verseau, sous l'influence de Mercure, Vénus et Uranus, sont les signes les moins solitaires du zodiaque. La recherche de l'échange fait partie intégrante de leur être et leur quête amoureuse ne prend fin que lorsqu'ils rencontrent un partenaire correspondant à leur idéal de perfection. Avec eux, rien n'est jamais acquis à l'avance et l'amitié reste indissociable de l'amour.

Sexuellement, leur rencontre recèle des trésors d'imagination. Le Gémeaux s'adapte à l'originalité du Verseau, qui se laisse facilement subjuguer par son charme. La Balance instaure un rapport d'une grande souplesse avec le Gémeaux, qui se laisse séduire en douceur. Les esprits du Verseau et de la Balance s'attirent instinctivement : le Verseau aime la diplomatie de la Balance, qui trouve en lui un partenaire aimant la liberté autant qu'elle.

Dans leurs relations amoureuses avec le reste du zodiaque, les signes d'Air font preuve de curiosité et de disponibilité. Leur tendance à s'éparpiller masque souvent une nature intellectuelle capable de créer des unions dynamiques.

Couple d'Air :
Brigitte Bardot (Balance) et Roger Vadim (Verseau).

SIGNES D'EAU : L'ASSIMILATION DES INFLUENCES
Extrêmement réceptifs, Cancer, Scorpion et Poissons intègrent leur partenaire amoureux dans leur univers. Ils ne cherchent pas à le transformer, mais veulent qu'il s'intéresse à eux. En effet, les signes d'Eau ont en commun des angoisses profondes et des émotions intenses qu'ils rêvent de stabiliser.

Très sensibles aux attraits de l'imaginaire, ils ont le sens du mouvement et cherchent des conjoints actifs pour mener à bien des projets communs. Ils se laissent volontiers envahir par les sentiments d'autrui, si on respecte leur petite île intérieure. Mis en confiance, ils aiment de façon possessive.

Cancer, Scorpion et Poissons ont du mal à se défaire des souvenirs. Ils intériorisent leurs soucis et pratiquent la politique de l'autruche. Mais la force cachée de tous les sentiments qui les parcourent oblige les signes d'Eau à se livrer totalement en amour. En couple, ils veulent des émotions.

Pendant leur jeunesse, ils n'arrivent pas à se fixer. Parfois trop pressés de trouver un partenaire, ils peuvent faire de mauvais choix et être amenés à changer de direction. Devant la contrainte, ils se hérissent et deviennent soudainement véhéments. En amour, il ne faut surtout pas les empêcher de s'exprimer. Quand ils baignent dans un climat d'harmonie, ils ouvrent à leur partenaire les portes d'un univers de perceptions.

Le Cancer, extrêmement sensible, se protège derrière un masque de détermination. Ses sautes d'humeur sont légendaires et il a facilement tendance à dramatiser. Mais il surmonte souvent son individualisme pour s'épanouir dans l'union, qu'il contribue grandement à développer. Il amène au couple ses facultés imaginatives, sa compréhension intuitive de l'autre, et définit les orientations pour deux. Rêveur et romantique, le Cancer est toujours en quête de racines pouvant se substituer à celles de l'enfance. Si les événements décident parfois pour lui, il sait faire face aux difficultés et en exige tout autant de son partenaire. Sexuellement, il comprend clairement les désirs de l'autre et se laisse aller naturellement. Toutefois, il lui faut un minimum de romantisme, car les situations troubles ne lui réussissent pas.

Le Scorpion, au contraire, aborde tous les territoires inconnus avec une grande ferveur et un intense désir de découverte. Il recherche à la fois un amour mystique et sexuel, ce qui ne lui simplifie pas la tâche, car il doit aussi compter avec son inconscient de chasseur. Très réceptif, il transforme souvent ses relations amoureuses en un laboratoire où son inventivité et son énergie font merveille, même s'il a du mal à canaliser ses pulsions.

En couple, il doit transformer ou être transformé, absorber ou se faire absorber... Il risque d'y avoir de la casse, côté sentiment, car le Scorpion n'aime pas qu'on se mette en travers de son chemin. Quand il dit non, c'est non ! Orgueilleux, il cherche pourtant confusément un amour rédempteur qui puisse le libérer de son côté sombre et des tensions qui l'agitent. Sexuellement, il plonge, au risque de manquer de souffle, dans des rituels et des jeux de rôle.

Le Poissons a plus besoin d'amour que n'importe quel autre signe, mais ses sentiments se noient dans la confusion. Il veut aider et être aidé, se protéger dans son monde intérieur et se dépasser dans la vie réelle. En amour, il se jette à l'eau sur des bases très idéalistes, sans vraiment savoir où il va. Il est à l'aise dans l'échange et recherche l'osmose, tirant parti de sa grande habileté en cette matière. Affectivement, il est très créatif, car il a soif de bonheur et ne manque pas d'imagination. Avec son partenaire, il veut planer dans une autre dimension et, pour cela, il est capable de grands sacrifices. En bon signe d'Eau réceptif à toutes les influences, le Poissons peut être tenté de faire passer ses désirs avant son couple. Mais son émotivité le remet vite dans le droit chemin. Il aime en abondance et est toujours plein d'espérance. Sexuellement, il n'a pas les yeux dans sa poche et s'auto-stimule par la pensée. Avide de tendresse, il peut dériver vers des abus sensuels.

Cancer, Scorpion et Poissons, dont les planètes directrices sont la Lune, Mars et Neptune, connaissent bien les émotions, qu'ils cherchent à assimiler. S'ils ne réussissent pas à le faire, c'est la déstabilisation assurée et la porte ouverte aux soubresauts de leur riche inconscient. En amour, ils sont à l'écoute de leur partenaire, mais réclament en contrepartie une attention soutenue, qu'ils cherchent à obtenir par tous les moyens.

Difficiles à saisir, les signes d'Eau forment entre eux des couples assez hermétiques. Ils s'aiment à l'abri des regards, ne laissent déborder leurs sentiments, leur sensualité, que dans le secret de l'intimité. Ils dressent une barrière protectrice entre leur couple et le monde extérieur. Le Cancer se soumet facilement aux désirs du Scorpion, attirant ses forces sombres à la lumière. Le Poissons rêve de se faire materner par le Cancer, qui n'est jamais avare de ce genre de tendresse. Le monde secret du Scorpion subjugue le Poissons, dont l'intuition s'associe aux ambitions du Scorpion.

Dans leur rencontre amoureuse avec le reste du zodiaque, les signes d'Eau ne retrouvent jamais la complicité qui les unit entre eux, mais la force de leurs sentiments les aide à surmonter tous les antagonismes.

Couples d'Eau :
Liz Taylor (Poissons) et Richard Burton (Scorpion)
Lady Di (Cancer) et le prince Charles (Scorpion).

Les règles du mariage des signes
Les 360 degrés du zodiaque composent un système de correspondance géométrique. Les quatre éléments contribuent à la vie, mais s'harmonisent plus ou moins efficacement les uns avec les autres. Les énergies des différents signes s'associent tantôt en douceur, tantôt en intensité, spontanément ou plus difficilement.

Les oppositions
Chaque signe a sa façon d'aimer. Parfois, un signe rencontre son antithèse et il se produit alors la célèbre attraction des contraires, mélange de fascination et d'incompréhension. Provenant de deux mondes aux antipodes, à 180 degrés l'un de l'autre, ils fusionnent ou se regardent en chiens de faïence.

Parmi les signes de Feu et d'Air, voici ceux qui s'opposent :
Le Bélier et la Balance
Le Lion et le Verseau
Le Sagittaire et le Gémeaux.

Parmi les signes de Terre et d'Eau, les suivants s'opposent :
Le Taureau et le Scorpion
La Vierge et le Poissons
Le Capricorne et le Cancer.

La relation amoureuse d'un couple formé de deux natures opposées est potentiellement très dynamique si un point d'équilibre est trouvé entre les deux signes concernés. Mais ils peuvent avoir des problèmes à s'adapter à leurs façons de procéder respectives et en arriver à s'ignorer délibérément. Dans ces couples, les conflits ouverts et les remises en question ne manquent pas. Cela peut leur permettre d'avancer plus vite ou, au contraire, les réduire au surplace. Souvent, l'un des partenaires prend complètement l'ascendant sur l'autre, et l'amour en souffre. Mais en cas de réussite, d'équilibre des forces des deux pôles, ils forment l'harmonie totale du yin et du yang.

Les carrés

Ils se regardent du coin de l'œil, ne sachant pas très bien quoi penser les uns des autres. Ils s'adaptent ou s'évitent, veulent faire la même chose, mais dans des domaines différents, d'une autre façon. L'entente amoureuse n'est pas gagnée d'avance, ils doivent apprendre à se découvrir, à négocier les virages à angle droit.

Entre signes de Feu et d'Eau :
Le Bélier et le Cancer
Le Lion et le Scorpion
Le Sagittaire et le Poissons.

Entre signes de Terre et de Feu :
Le Taureau et le Lion
La Vierge et le Sagittaire
Le Capricorne et le Bélier.

Entre signes d'Air et de Terre :
Le Gémeaux et la Vierge
La Balance et le Capricorne
Le Verseau et le Taureau.

Entre signes d'Eau et d'Air :
Le Cancer et la Balance
Le Scorpion et le Verseau
Le Poissons et le Gémeaux.

Les couples de signes formant un carré (90°) sont enclins à sublimer, car ils doivent dépasser les conflits d'intérêts et les tensions qui en découlent. Mais s'ils cherchent plus profondément, ils trouvent toujours un point commun, une base de respect mutuel qui peut servir de fil conducteur.

Les trigones et les conjonctions

Les trigones (120°) relient les signes d'un même élément. Comme nous l'avons vu précédemment, l'amour instantané y est favorisé par l'attirance des énergies qui s'harmonisent et se mettent en valeur facilement. Chez ces couples, il existe un enrichissement réciproque, un accord profond sur le sens de la vie. Grand facteur d'entente, la rencontre de deux êtres d'un même élément ne suscite pas forcément l'amour, qui a de nombreux autres tours dans son sac.

Les couples en conjonction sont formés de deux partenaires nés à la même période de l'année, soit dans un espace-temps de dix jours. La compréhension de l'autre est à son maximum et ces duos forment une association quasi parfaite. Mais le trop est parfois l'ennemi du bien, car ils peuvent être à tel point complices que la relation tourne à une vie commune de frère et sœur.

Si la conjonction a lieu à cheval entre deux signes, le lien est indissoluble, mais chacun a le sentiment qu'il doit faire son chemin en dehors de l'autre. Ils se séparent, puis se retrouvent.

CHAPITRE 2

La rencontre des signes

2

Le signe, autrement dit la position du Soleil au jour de la naissance, est le facteur dominant de l'attraction entre les êtres. Il représente l'énergie vitale, le rayonnement spontané, la pierre angulaire de la relation amoureuse. Il est néanmoins indispensable de considérer la rencontre des signes sous l'angle de l'ascendant, qui dévoile de quelle manière l'énergie du signe va être employée.

BÉLIER

Caractère amoureux en dix mots-clés :
Conquérant. Démonstratif. Ardent. Passionné. Querelleur. Franc. Exalté. Créatif. Susceptible. Généreux.

L'homme Bélier
Il est très séduisant, et on a du mal à lui résister. Sincère et passionné, c'est un professionnel du coup de foudre. Quand il jette son dévolu sur une femme, il s'enflamme instantanément et veut tout, tout de suite. Mais attention ! Sa passion peut s'éteindre aussi vite qu'elle est née, et il peut se tourner aussitôt vers une nouvelle conquête. Sa fidélité est sujette à caution.

Sa partenaire se sentira toujours aimée et unique. Elle fera partie intégrante de ses projets. Mais c'est lui qui dirigera le couple en imposant ses quatre volontés. S'engager dans le mariage ne l'effraie pas. Il voit l'union comme le mariage de deux espèces joyeuses, issues du même élément, mais de nature profondément différente. Égocentrique, il a besoin qu'on lui accorde une grande importance, qu'on l'admire pour ses actions.

Son défaut principal : la jalousie. L'amour peut vite virer au pugilat. Sa femme devra jouer en finesse pour paraître docile tout en restant indépendante. Pour le garder, il faudra qu'elle accepte les accrochages et les disputes sans s'en formaliser, car l'homme Bélier est orgueilleux et n'admet jamais ses torts. Il ne tolère ni la routine ni la tiédeur.

Jouisseur et dominateur, imaginatif et physique, il accorde une grande place au sexe dans sa vie, bien qu'il ait parfois des problèmes de rapidité. Il aime embrasser et fait l'amour comme un plongeur qui sort enfin de l'océan. Comme il a tendance à tout essayer et qu'il ne supporte pas l'ennui, il pourrait, en vieillissant, s'adonner à l'homosexualité ou à l'amour à plusieurs.

Hommes célèbres : Marlon Brando, Jean-Paul Belmondo, Jacques Brel, Milan Kundera, Robert Doisneau.

La femme Bélier

Dans sa jeunesse, elle flirte facilement pour le plaisir de séduire. Elle se jette dans chaque nouvelle aventure, se laisse envahir par la passion, mais a du mal à tomber véritablement amoureuse, car elle veut préserver sa liberté. Cependant, quand cette enfant gâtée trouve l'homme qui lui correspond, elle l'aime durablement et tend à vivre à travers lui, en lui faisant croire qu'il est l'être le plus extraordinaire du monde. Elle est capable de donner beaucoup, de devenir patiente et tolérante.

La femme Bélier accepte difficilement sa féminité. Presque masculine dans son approche séductrice, elle comprend bien les hommes, avec qui elle instaure facilement des relations amicales. Très entourée, elle n'arrive pas toujours à distinguer l'aventure et l'amour, ce qui engendre parfois des chocs affectifs. Quand une relation s'effrite, elle refuse de faire face à la vérité.

Un peu despote et inquisitrice, elle cherche un partenaire à sa hauteur, un homme qu'elle peut mettre à l'épreuve. Elle n'aime pas les « perdants », qu'elle quitte brutalement. Cependant, son homme doit toujours lui laisser le dernier mot pour éviter les drames et ne pas lui donner l'impression qu'il la surveille. Au fond, derrière son apparence implacable, elle n'a pas confiance en elle et cherche à être rassurée.

Sexuellement, elle dégage une forte énergie érotique et peut facilement passer de la domination à la soumission. Elle préfère attaquer directement, les câlins d'approche ne l'intéressent pas. Comme l'homme du même signe, elle bannit la routine et a besoin de stimulation.

Femmes célèbres : Simone Signoret, Fanny Ardant, Claudia Cardinale, Bette Davis, Marie-Christine Barrault.

LE BÉLIER ET LES AUTRES SIGNES

Bélier-Bélier

Deux fortes personnalités qui ne risquent pas d'avoir une vie paisible. Les affrontements sont inévitables entre ces deux êtres fougueux qu'on remarque sur leur passage. Pour parvenir à un *modus vivendi*, chacun doit garder son espace vital et respecter celui de l'autre. Les crises de colère et les surprises ne laissent aucune place à l'ennui chez ces partenaires aventuriers et fonceurs. Il y a de grandes chances que les assiettes volent... et attention aux dégâts ! L'amour physique, lui, a le vent en poupe. Entre deux natures si entières et passionnées, l'harmonie ne peut exister que si la femme se plie aux volontés de l'homme en montrant davantage de souplesse que lui. Sinon, ils s'éloigneront l'un de l'autre à vitesse grand V.

Bélier-Taureau

La fidélité du Taureau est mise à rude épreuve. Quant au Bélier, il est agacé par la lenteur et la possessivité de son partenaire. Pourtant, ces deux natures peuvent se compléter et s'attirer. Le Taureau calme l'impétuosité et les inquiétudes du Bélier et le stabilise, alors que le Bélier amène un souffle d'aventure à la routine enracinée du Taureau. À deux, ils peuvent renverser tous les obstacles. Ceci étant dit, la femme Taureau tolère mal les écarts et n'aime pas se soumettre aux injonctions impulsives de l'homme Bélier. Les rapports sont plus faciles entre l'homme Taureau et la femme Bélier, qui tirent parti de leur grande entente sexuelle, même si le côté pantouflard de l'homme Taureau ennuie à la longue sa partenaire, qui a le sentiment de manquer d'espace.

Bélier-Gémeaux

Forte attraction possible, dans un rapport à tendance amicale, entre ces deux joueurs qui ont de multiples occasions de se rencontrer. Ils n'ont pas la même conception de l'amour : le Bélier est exclusif, le Gémeaux volage. Cependant, aucun des deux n'aime la routine. Ils sont actifs, curieux et séducteurs chacun à leur manière. Intellectuellement, l'entente coule de source. Le Bélier est un spectacle passionnant pour le Gémeaux qui, de son côté, attire instinctivement le Bélier. Dans la vie pratique, le Bélier encourage le Gémeaux à l'action. De son côté, le Gémeaux freine l'impulsivité de son partenaire. Ils ont l'impression de se comprendre, de pouvoir faire mille projets ensemble, y compris sexuellement, domaine où ils s'amusent beaucoup.

L'infidélité plane sur ce couple ; pour que l'union ait toutes les chances de durer, le Gémeaux ne doit pas trop provoquer le Bélier, qui pourrait se lasser des mensonges et de la légèreté de son partenaire. L'homme Bélier joue l'initiateur avec la femme Gémeaux, laquelle apprécie mais risque d'aller expérimenter ces conseils ailleurs. Le couple femme Bélier-homme Gémeaux peut faire des projets à long terme.

Bélier-Cancer

L'entente est difficile, même s'ils ont des choses à se dire. Le Bélier a besoin d'indépendance et s'accommode mal de l'attitude protectrice et de l'amour de l'intimité du Cancer. Ce dernier veut être cajolé, rassuré, et ne trouve pas ce qu'il cherche auprès de l'impétueux Bélier, qui fuit son étreinte possessive. Le Bélier blesse souvent la sensibilité et la délicatesse du Cancer, qui doute perpétuellement de la fidélité de son partenaire. Au premier regard, le Bélier attire l'attention du Cancer, qui le perçoit comme un spectacle étonnant. Mais le Bélier est bien trop joueur pour le sérieux du Cancer qui, s'il se laisse subjuguer et entraîner, se sent rapidement mal à l'aise, voire en danger. La patience réciproque est l'ingrédient indispensable pour que ce couple dure. Au lit, les rapports sont harmonieux au premier abord, la fougue du Bélier comblant les fantasmes du Cancer. S'il s'agit d'une femme Cancer et d'un homme Bélier, le rapport peut facilement rentrer dans une logique victime-bourreau. L'union femme Bélier-homme Cancer semble moins évidente, mais elle reste possible à condition que la femme se laisse adoucir.

Bélier-Lion

Ces deux natures généreuses peuvent faire un long bout de chemin ensemble. Sentimentaux, passionnés, ils pratiquent l'amour-fusion. Ils veulent construire et se trouvent facilement des objectifs et des idéaux communs, en particulier celui de former un couple admiré en société. Mais attention, ils sont tous deux narcissiques, susceptibles et orgueilleux. Des conflits d'autorité et des reproches mutuels peuvent surgir. Leurs désaccords sont sans appel. Pour éviter d'entrer en rivalité, ces deux signes de Feu doivent accepter de briller à tour de rôle. Le Bélier propose, le Lion dispose. La meilleure association est femme Bélier-homme Lion, car ils s'admirent réciproquement. En revanche, la femme Lion aime diriger, ce qui ne convient pas forcément à l'homme Bélier. Côté sexe, les deux signes s'attirent, mais le Lion s'offusque parfois des entreprises audacieuses du Bélier.

Bélier-Vierge

Ces partenaires ont de la difficulté à se comprendre. Avec sa nature analytique et raisonnée, la Vierge freine la fougue du Bélier, qui n'aime pas la critique. Au premier contact, le Bélier s'intéresse de très près à la Vierge qui, malgré sa retenue, risque de succomber. Mais à long terme, le Bélier finit souvent par s'ennuyer, et la Vierge se sent trahie par l'instabilité de son compagnon. Des tensions entre ces deux caractères aux antipodes l'un de l'autre sont à prévoir. La Vierge planifie trop au goût du Bélier, qui aime foncer la tête en avant. Mais si la Vierge est un peu « folle » et accepte l'aventure, ils peuvent se compléter : le Bélier apporte son dynamisme, la Vierge sa rationalité. Le romantisme, lui, passe aux oubliettes, à moins que la relation ne devienne du genre « on se sépare, on se retrouve » pendant des années.

Bélier-Balance

Comme deux aimants, ils s'attirent, et parfois se repoussent. Ce sont deux natures antagonistes, mais complémentaires. L'attraction et le rejet oscillent au gré des humeurs, mais la fascination mutuelle reste toujours présente. La Balance ne sait pas résister aux tentations, et cela tombe bien puisque le Bélier n'aime pas qu'on lui résiste. Diplomate et conciliante, la Balance canalise l'élan du Bélier et désamorce son penchant pour l'affrontement. Pour que l'union marche, le Bélier doit s'efforcer d'être plus tendre et la Balance doit faire

preuve de détermination. L'association est plus favorable
entre l'homme Bélier et la femme Balance, car la perception
réciproque s'améliore au fil des jours. Cela semble être le
nirvana sur le plan sexuel, les élans du Bélier révélant au
grand jour les désirs de la Balance.

Couples célèbres: Simone Signoret (Bélier) et Yves Montand
(Balance); Serge Gainsbourg (Bélier) et Brigitte Bardot
(Balance).

Bélier-Scorpion

On approche ici d'une zone à haute tension: sexualité débridée, jeux érotico-agressifs, passions souveraines... Les deux
tempéraments se retrouvent sur le plan physique, mais cela
ne va pas sans heurts psychologiques. Le Bélier, sous le
charme du Scorpion, ressent une certaine inquiétude, ne
sachant jamais jusqu'où l'imagination subtile de son partenaire pourrait l'entraîner. Des rapports de force latents
dominent ce couple qui vit des expériences uniques, mais a
probablement du mal à passer l'épreuve du temps. La femme
Bélier, franche et directe, ne comprend pas toujours les
détours empruntés par l'homme Scorpion. Dans le cas
inverse, la femme Scorpion fascine l'homme Bélier, qui
s'attache à elle de façon durable.

Bélier-Sagittaire

Qu'est-ce qui unit ce couple apparemment en osmose? Un
goût prononcé pour les découvertes et les voyages, un désir
mutuel d'idéalisme, une grande générosité. Ces partenaires
ont de grands projets et se donnent entièrement l'un à
l'autre. Mais des embryons de rivalité pourraient venir ternir
leur relation. Sur le plan sexuel, l'harmonie est de mise, car
les deux signes ne s'embarrassent pas de préliminaires superflus. Il y aurait des idées d'adultère dans l'air qu'il ne faudrait
pas s'étonner, car tous les deux ont grand besoin de nouveaux

horizons. Le couple homme Bélier-femme Sagittaire est dirigé, mine de rien, par la femme, qui canalise l'énergie de l'homme dans le sens où elle l'entend. Pour la femme Bélier et l'homme Sagittaire, l'union équilibrée est au beau fixe, et l'homme sait assouvir les désirs exigeants de sa compagne.

Couple célèbre : Serge Gainsbourg (Bélier) et Jane Birkin (Sagittaire).

Bélier-Capricorne

Sexuellement, il ne leur est pas facile de trouver un terrain d'entente, car ils sont aux antipodes l'un de l'autre. La compréhension risque d'être difficile entre le Capricorne intimiste et le Bélier exhibitionniste. Prudent et patient, aimant les sentiments tranquilles, le Capricorne se sent bousculé par l'impulsivité du Bélier. Ils ont chacun une façon d'aimer radicalement différente, mais tombent généralement d'accord sur leur vision du monde. Avec l'âge, ce couple se rapproche, quand l'enthousiasme du Bélier s'est rassasié et que le Capricorne n'a plus peur de montrer sa soif d'affection. Si ces partenaires prennent le temps de se découvrir, leurs fantasmes réciproques y trouveront leur compte. L'association femme Bélier-homme Capricorne a les meilleures chances de durer.

Bélier-Verseau

Ce sont davantage de grands amis que de véritables amoureux. Complices, ils se rejoignent sur l'idée de la liberté : ils formeront peut-être un couple, mais ne se marieront probablement pas. Tournés vers l'avenir, ils avancent sans préjugés. Le Verseau ferme les yeux sur les infidélités du Bélier, lequel lui apporte la chaleur sentimentale qui lui manque. Un couple inhabituel, mais pourquoi pas ? Le Bélier doit mettre sa nature passionnée en sourdine s'il ne veut pas souffrir du manque d'intérêt du Verseau. La femme Verseau sait calmer l'agressivité de l'homme Bélier; cette union peut durer si les deux rythmes parviennent à s'harmoniser. Quant à la femme Bélier, elle reste très éloignée des idéaux de l'homme Verseau et rage contre son absence de prise de responsabilités dans le couple.

Couple célèbre: Roger Vadim (Verseau) et Marie-Christine Barrault (Bélier).

Bélier-Poissons

Deux univers parallèles qui ne se rejoignent pas souvent. Le Poissons est rêveur et romanesque, alors que le Bélier ne comprend pas ce type de sentiments superflus. L'un est sensible, l'autre susceptible, ce qui ne facilite pas les rapports amoureux. Il y a souvent de l'orage dans l'air entre ces deux partenaires, et leur vie sexuelle s'en ressent. Cependant, le Bélier peut rassurer et séduire le Poissons par son dynamisme, surtout dans la configuration femme Poissons-homme Bélier, même si le romantisme du Poissons n'est pas comblé. La femme Poissons doit veiller à ne pas submerger son homme Bélier de jérémiades affectives. L'effet apaisant de l'homme Poissons ne fonctionne pas à tous les coups avec la femme Bélier, charmée au premier abord, mais vite déroutée par le comportement plutôt énigmatique de cet homme insaisissable.

TAUREAU
Caractère amoureux en dix mots-clés:
Stable. Fidèle. Sensuel. Possessif. Matérialiste. Prudent. Aimant le confort. Jaloux. Tendre. Opiniâtre.

L'homme Taureau
Ce bon vivant aime l'amour et met un point d'honneur à combler sa partenaire. Très curieux, il a souvent une jeunesse

riche d'expériences sentimentales, mais quand il a fait son choix, il fonde un foyer, et c'est pour la vie.

Pour séduire, il prend son temps, ne laisse rien au hasard, soupèse les qualités et les défauts de l'autre. Il n'apprécie pas les risques amoureux. Sa femme aura une belle vie à ses côtés, car il mettra tout en œuvre pour créer une atmosphère confortable sous leur toit. Il demande en retour une fidélité partagée et un dévouement à toute épreuve. Compagnon agréable et rassurant, il ne cache rien, communique sa joie de vivre et prend toujours en compte les désirs de sa partenaire. Celle-ci ne devra pas être trop indépendante, car l'homme Taureau, jaloux, a besoin de sentir qu'elle lui appartient entièrement. Il attend de sa femme idéale qu'elle lui procure tendresse, soutien affectif et plaisirs charnels.

Ce sensuel aime les moments voluptueux et prend tout son temps pour assouvir son appétit érotique. Chez lui, une relation commence par le sexe et se transforme ensuite en union enracinée et routinière. Son absence de « perversion » intellectuelle peut le rendre ennuyeux. Quand il est de mauvaise humeur, ce qui est rare, il ne faut pas venir le titiller, car il pourrait exploser. En effet, sous son air affable, l'homme Taureau conserve de vieilles rancunes.

Hommes célèbres : Bertrand Tavernier, Yannick Noah, Malcolm X, Yves Simon, Orson Welles.

La femme Taureau

Séduisante et coquette, elle ne peut pas se passer des hommes. Elle a besoin d'être choyée, câlinée et de savoir que les hommes la désirent. Quand elle aime, elle est tout d'une pièce, entière et passionnée. Toutefois, elle s'engage avec prudence, car ce n'est pas une aventurière. Cette optimiste est directe, simple, fidèle et loyale. Elle a tendance à se croire irremplaçable et s'occupe activement de la vie de son partenaire, qu'elle entoure de tendresse et d'attention. Fidèle et loyale, elle a peur d'être abandonnée et ne pardonne pas les trahisons. Il faut vraiment la pousser à bout pour qu'elle vous quitte, mais elle ne revient jamais en arrière.

Pourtant, cette femme «modèle» peut se lancer dans des colères homériques, des bouderies, des accès de susceptibilité extrêmes. Il est très périlleux de susciter sa jalousie et sa possessivité légendaires. Son entêtement la rend parfois difficile à vivre.

Elle aime le sexe, mais a surtout besoin d'un homme tendre qui fasse des projets d'avenir avec elle et qui procure un minimum de sécurité matérielle et affective. Secrètement, elle aspire à se sentir partie intégrante d'une certaine aristocratie.

Femmes célèbres : Audrey Hepburn, Christine Ockrent, Marie-Josée Perec, Ella Fitzgerald.

LE TAUREAU ET LES AUTRES SIGNES

Taureau-Bélier

La fidélité du Taureau est mise à rude épreuve. Quant au Bélier, il est agacé par la lenteur et la possessivité de son partenaire. Pourtant, ces deux natures peuvent se compléter et s'attirer. Le Taureau calme l'impétuosité et les inquiétudes du Bélier et le stabilise, alors que le Bélier amène un souffle d'aventure à la routine enracinée du Taureau. À deux, ils peuvent renverser tous les obstacles. Ceci étant dit, la femme Taureau tolère mal les écarts et n'aime pas se soumettre aux injonctions impulsives de l'homme Bélier. Les rapports sont plus faciles entre l'homme Taureau et la femme Bélier, qui tirent parti de leur grande entente sexuelle, même si le côté pantouflard de l'homme Taureau ennuie à la longue sa partenaire, qui a le sentiment de manquer d'espace.

Taureau-Taureau

Un duo soudé pour une vie pépère. Ces êtres se comprennent parfaitement et ont la même façon d'appréhender la vie : tranquille, à la campagne. Affectueux et sensuels, ils ont une vie sexuelle très satisfaisante, même si celle-ci peut tourner au rituel. Ils ont besoin de leur chaleur respective, ne peuvent se passer l'un de l'autre. La gentillesse de l'homme Taureau sait calmer la sourde jalousie de sa compagne, mais avec le temps, l'ennui les guette au tournant. Une union très matérialiste qui doit conserver tout son calme, car s'ils sont soumis à des tentations, leur nature vénusienne frétille, ce qui déclenche des crises féroces de jalousie et de sévères bouderies. La solution, un bon repas et au lit !

Taureau-Gémeaux

Difficile de trouver un rythme commun entre ces deux natures. Certes, le Taureau est troublé par les jeux de séduction et la jeunesse du Gémeaux, mais il ne se sent jamais vraiment en confiance en raison de la tendance de son partenaire à l'infidélité. Quant au Gémeaux, il trouve son partenaire souvent trop exigeant et borné, mais il ne peut pas nier qu'il lui apporte une stabilité et un enracinement qui lui font défaut. En général, le Gémeaux trouve que le Taureau manque de fantaisie, mais il va quand même y regarder de plus près, intrigué par l'idée que le Taureau n'ait rien à cacher. De son côté, le Taureau ne comprend pas l'intérêt du Gémeaux pour la nouveauté, car lui-même se satisfait de son univers. Sexuellement, ils se heurtent à des difficultés : le Gémeaux a peu d'attirance pour les plaisirs « corps à corps » du Taureau qui, lui, ne saisit pas pourquoi le Gémeaux a besoin de stimulations mentales. Attention ! L'homme Gémeaux aura du mal à garder sa femme Taureau s'il persiste à lui raconter ses aventures... Pourtant, c'est une combinaison plus favorable que celle unissant un homme Taureau et une femme Gémeaux.

Taureau-Cancer

Ils se marièrent et vécurent toujours ensemble... C'est loin d'être une vie d'aventures et de surprises, mais c'est une association idéale pour une vie de famille. Tous les deux recherchent la sécurité et la tendresse. Ils aspirent à une vie calme et paisible, à couler des jours heureux dans une maison remplie d'enfants. Sexuellement, ils préfèrent tous deux la douceur, les plaisirs sans complications. Une ombre au tableau : la possessivité et la susceptibilité peuvent les mener à l'étouffement et aux ruptures brusques. Le couple homme Cancer-femme Taureau s'établit sur des bases de tendresse et de retour à l'enfance. Cependant, l'homme Cancer peut se révéler un tyran secret. En ce qui concerne l'association femme Cancer-homme Taureau, l'obstination de l'une et l'entêtement de l'autre risquent d'assombrir une union autrement sans nuages.

Couple célèbre : Dominique Strauss-Kahn (Taureau) et Anne Sinclair (Cancer).

Taureau-Lion

Deux têtus qui peuvent s'unir et arriver à bâtir une vie commune s'ils dépassent leurs antagonismes reliés au pouvoir. La communication ne sera pas toujours facile, ce qui pourra être source d'incompréhension mutuelle. Aussi directs l'un que l'autre, ils se retrouvent sur le plan matériel et leurs sentiments sont sincères. C'est une union de chercheurs d'or : le Lion a de l'ambition, et le Taureau a les moyens de calmer la fièvre de son partenaire. Pourtant, entre le Taureau opiniâtre et le Lion intransigeant, les frictions ne peuvent pas toujours être évitées, à moins que leurs territoires respectifs ne soient parfaitement définis. En effet, le Lion peut être tenté de posséder l'espace vital du Taureau, lequel ne se laissera pas faire. Sur le plan sexuel, de bons moments en perspective, mais le narcissisme du Lion convient mal au Taureau. L'union sera plus réussie si la femme est Taureau et laisse la direction des

opérations à l'homme Lion. Dans le cas inverse, la susceptibilité de la femme Lion sera heurtée par le Taureau, qui se
met souvent les pieds dans le plat !

Taureau-Vierge

Deux amoureux du silence qui s'estiment mutuellement. Ces
deux signes de Terre reconnaissent leurs qualités respectives
et se retrouvent sur le terrain du bon sens. Leur vie ne sera
pas exaltante, mais ils sont fidèles et ont tous les atouts pour
être heureux ensemble. La Vierge est dévouée et le Taureau
apprécie sa simplicité, lui donnant en retour l'affection dont
elle a secrètement besoin. La pudeur de la Vierge ne s'harmonise pas forcément avec les élans sensuels du Taureau, ce
qui peut engendrer à long terme des sentiments de frustration et d'ennui. Mais le Taureau est peut-être le seul à pouvoir
la dégeler, au coin du feu.

Couple célèbre : Roberto Rossellini (Taureau) et Ingrid
Bergman (Vierge).

Taureau-Balance

Il y a des malentendus dans l'air entre ces deux signes régis
par Vénus. Malgré des goûts communs, ils abordent la vie de
façon radicalement différente. Le Taureau préfère la chaleur
tranquille du foyer et le plaisir des sens, tandis que la
Balance, attirée davantage par l'esprit, ne peut se passer de vie
sociale et de contacts humains. La routine du Taureau risque
de lasser la Balance, mais ils se retrouvent sur le terrain de
la tendresse. Sexuellement, ils doivent apprendre à dépasser
leurs antagonismes, car le Taureau jouisseur peut choquer
l'esthète Balance. Cependant, grâce à la finesse de la Balance
et à l'affection du Taureau, l'amour est possible, surtout s'il
s'agit d'un homme Taureau et d'une femme Balance. Dans le
cas contraire, l'homme Balance risque de subir la possessivité
de la femme Taureau.

Couple célèbre : Orson Welles (Taureau) et Rita Hayworth (Balance).

Taureau-Scorpion

Une grande fascination mutuelle existe entre ces deux signes. Ils se complètent sur tous les plans ou bien se repoussent avec violence. La persévérance est une qualité qu'ils partagent et leur relation explore ses propres limites jusqu'aux frontières les plus reculées. Le Taureau veut posséder pour mieux s'abandonner, le Scorpion souhaite être possédé pour mieux dominer. Ils peuvent donc fusionner, mais à leurs risques et périls. Le sexe sera primordial dans ce couple qui cherchera toujours la satisfaction totale, sans jamais l'atteindre. Les amours entre la femme Taureau et l'homme Scorpion risquent d'être tumultueuses.

Couples célèbres : Alain Delon (Scorpion) et Mireille Darc (Taureau) ; Christine Ockrent (Taureau) et Bernard Kouchner (Scorpion) ; Arielle Dombasle (Taureau) et Bernard-Henry Levy (Scorpion).

Taureau-Sagittaire

La compréhension ne va pas d'elle-même entre ces deux-là, mais ils ont en commun un grand amour de la vie. Le Taureau a ses habitudes, que le Sagittaire dérange en rêvant sans répit d'aventures, de voyages, de nouveaux horizons. Comme cela n'est pas dans les cordes du Taureau, il leur faudra surmonter beaucoup d'obstacles, mais le bonheur semble à leur portée. En amour, ils s'investissent tous deux à cent pour cent. Le Taureau apprend à sortir de sa réserve quand le Sagittaire met en sourdine sa soif de nouveauté. C'est un couple fidèle, où chacun reste sur sa longueur d'onde. Avec le temps, le Sagittaire s'apaisera et ils auront alors de belles journées devant eux. La femme Taureau se prête volontiers aux assauts de l'homme Sagittaire, mais leur susceptibilité commune donne lieu à des rancunes cachées qui explosent ponctuellement au grand jour.

Taureau-Capricorne

Plutôt que de succomber à la passion, ce duo fonde une entreprise commune basée sur une affection solide. Ces deux signes se comprennent et s'apprécient. La chaleur du Taureau redonne vie et confiance au Capricorne, qui met au service du couple sa rationalité et son esprit logique. Ces deux natures stables et fidèles prennent leur temps pour créer des liens profonds. Ils aiment leurs habitudes et se respectent l'un l'autre, mais la méfiance instinctive du Capricorne peut dérouter le Taureau, plus direct. Ils ne se perdent jamais de vue et forment un couple idéal à long terme. Sexuellement, c'est l'entente parfaite, où désir et tendresse fusionnent.

Couple célèbre : Jacques Dutronc (Taureau) et Françoise Hardy (Capricorne).

Taureau-Verseau

Avec sa légèreté, son goût de l'innovation et son désir de liberté, le Verseau n'a pas grand-chose en commun avec le Taureau, stable et possessif. Pourtant, ils peuvent se compléter pour réaliser des projets, le Taureau apportant son sens pratique aux idées avant-gardistes et à l'engagement social du Verseau. Si l'amitié est possible entre eux, l'amour est moins évident. Le Taureau risque de souffrir d'un manque charnel en compagnie du Verseau. La femme Taureau, exaspérée par la désinvolture de l'homme Verseau, pourrait piquer des colères et lancer des paroles blessantes. Son partenaire prendrait alors le large pour ne jamais plus revenir. Quant à l'homme Taureau, il risque de s'épuiser à vouloir faire taire la femme Verseau.

Taureau-Poissons

Une alchimie favorable et difficilement explicable opère entre ces deux natures épicuriennes qui se complètent dans le domaine de la tendresse. Le Poissons attire le Taureau sans le brusquer, et ce dernier réussit à combler son besoin d'être rassuré. Ils tissent une relation étrange, toute en affection et sensualité. Tout va bien si le Poissons ne pose pas trop de devinettes amoureuses et s'il n'éveille pas les soupçons du Taureau. La conjonction homme Poissons-femme Taureau risque la dérive, car l'inconstance du Poissons et la jalousie du Taureau trouvent difficilement un terrain d'entente. La femme Poissons et l'homme Taureau se donnent des tonnes d'affection, et leur relation peut s'éterniser en dépit des regrets romanesques de la femme Poissons.

GÉMEAUX

Caractère amoureux en dix mots-clés :
Joueur. Curieux. Instable. Collectionneur. Habile. Flirteur. Capricieux. Capable de souplesse. Charmeur. Superficiel.

L'homme Gémeaux

Sa vocation : le flirt. Curieux et flatteur, l'homme Gémeaux sait amuser les femmes. Il les attire par sa désinvolture et les désarçonne, car il sait à la fois cajoler et tenir à distance, faire rire et piquer. Ce n'est pas un passionné, il garde toute sa vie un esprit jeune et séduisant. Il croit en sa supériorité et dans la loi de la sélection naturelle. Ses nombreuses amitiés féminines sont parfois ambiguës, mais en échange, il laisse toute liberté à sa partenaire, ce qui peut l'amener à une certaine perversité. N'essayez pas de l'emprisonner, cela le fera fuir ou il vous jouera la comédie, un art où il excelle. À ses yeux, la femme idéale doit être capable de jouer avec lui, de renouveler ses caprices et ses envies, et ne doit jamais l'assommer avec son sentimentalisme. Si elle l'admire, rit facilement et pique sa curiosité, il peut même lui être fidèle, ce qui n'est pas son fort.

Il n'hésitera pas à se vanter de ses conquêtes, mais il a le don de les multiplier dans ses rêves. En tout cas, c'est le plus compréhensif des hommes, et sa facilité à dédramatiser le rend fort agréable à vivre. Attention cependant à ne pas trop le provoquer, car il peut devenir mordant, voire cruel. Sexuellement, il aime les découvertes et les préliminaires ludiques qui alimentent son désir, car c'est un cérébral avant tout. Il peut même en oublier l'essentiel et se lasser de sa partenaire par baisse de désir ou parce qu'il est attiré par une autre femme. Dans l'état amoureux, il n'aime pas se mouiller et garde toujours ses distances

Hommes célèbres : Clint Eastwood, Bob Dylan, Ernesto Che Guevarra, Allen Ginsberg, Bjorn Borg.

La femme Gémeaux

Lolita, c'est elle ! Séduisante, jeune, elle cherche instinctivement à attirer l'attention du sexe opposé. Curieuse, capricieuse et réfractaire à la routine, elle se laisse entraîner dans toutes les aventures, mais ne se livre jamais entièrement. Elle se croit irrésistible avec son sourire enjôleur, mais elle est plus inquiète qu'elle ne veut le laisser paraître. Le mot fidélité n'appartient pas à son vocabulaire et sa vie sentimentale ressemble souvent à une partie de cache-cache. Insolente et instable, la femme Gémeaux peut aussi bien participer aux nouveaux projets de son partenaire que rompre sous le coup d'une impulsion. Tomber véritablement amoureuse lui est difficile, et ses relations tournent souvent à la complicité amicale et coquine, où on se pardonne tout si le sentiment reste intact. Mais elle a quand même un fond de jalousie cachée, car elle ne supporte pas qu'une autre femme la relègue au second plan. Son rêve est de faire partie du jet-set, de se retrouver dans les endroits chic, les événements où la beauté est à l'honneur.

L'ennui est son pire ennemi. Son partenaire devra supporter de longues discussions et ne jamais lui donner l'impression qu'elle a la bague au doigt. Pour elle, le sexe est une grande aventure à épisodes multiples, mais ce n'est pas forcément la chair qui la passionne. Elle fait l'amour en étudiant la situation comme à travers un hublot. Ne lui demandez pas de démonstrations d'affection, elle préfère s'amuser et expérimenter.

Femmes célèbres: Marilyn Monroe, Françoise Sagan, Barbara, Brigitte Fossey, Agnès Varda.

LE GÉMEAUX ET LES AUTRES SIGNES

Gémeaux-Bélier
Forte attraction possible, dans un rapport à tendance amicale, entre ces deux joueurs qui ont de multiples occasions de se rencontrer. Ils n'ont pas la même conception de l'amour: le Bélier est exclusif, le Gémeaux volage. Cependant, aucun des deux n'aime la routine. Ils sont actifs, curieux et séducteurs chacun à leur manière. Intellectuellement, l'entente coule de source. Le Bélier est un spectacle passionnant pour le Gémeaux qui, de son côté, attire instinctivement le Bélier. Dans la vie pratique, le Bélier encourage le Gémeaux à l'action. De son côté, le Gémeaux freine l'impulsivité de son partenaire. Ils ont l'impression de se comprendre, de pouvoir faire mille projets ensemble, y compris sexuellement, domaine où ils s'amusent beaucoup.

L'infidélité plane sur ce couple; pour que l'union ait toutes les chances de durer, le Gémeaux ne doit pas trop provoquer le Bélier, qui pourrait se lasser des mensonges et de la légèreté de son partenaire. L'homme Bélier joue l'initiateur avec la femme Gémeaux, laquelle apprécie mais risque d'aller expérimenter ces conseils ailleurs. Le couple femme Bélier-homme Gémeaux peut faire des projets à long terme.

Gémeaux-Taureau

Difficile de trouver un rythme commun entre ces deux natures. Certes, le Taureau est troublé par les jeux de séduction et la jeunesse du Gémeaux, mais il ne se sent jamais vraiment en confiance en raison de la tendance de son partenaire à l'infidélité. Quant au Gémeaux, il trouve son partenaire souvent trop exigeant et borné, mais il ne peut pas nier qu'il lui apporte une stabilité et un enracinement qui lui font défaut. En général, le Gémeaux trouve que le Taureau manque de fantaisie, mais il va quand même y regarder de plus près, intrigué par l'idée que le Taureau n'ait rien à cacher. De son côté, le Taureau ne comprend pas l'intérêt du Gémeaux pour la nouveauté, car lui-même se satisfait de son univers. Sexuellement, ils se heurtent à des difficultés : le Gémeaux a peu d'attirance pour les plaisirs « corps à corps » du Taureau qui, lui, ne saisit pas pourquoi le Gémeaux a besoin de stimulations mentales. Attention ! L'homme Gémeaux aura du mal à garder sa femme Taureau s'il persiste à lui raconter ses aventures... Pourtant, c'est une combinaison plus favorable que celle unissant un homme Taureau et une femme Gémeaux.

Gémeaux-Gémeaux

Caprices, espiègleries, farces adolescentes : ensemble, ils trouvent toujours de nouveaux jeux et s'amusent beaucoup. Les promesses d'infidélité appartiennent à leur art de vivre, complice et fantaisiste. Ce sont des partenaires rêvés dans les premiers temps, car ils ont énormément à se raconter et font assaut d'ingéniosité. Très érotiques, ils s'affichent, mais finissent à la longue par se lasser des jeux perpétuels. Les moqueries sont leur pain quotidien, mais attention, ils peuvent rivaliser sur le plan de la cruauté. Rien de bien méchant, au fond, mais ils ne peuvent se faire pardonner avec un sourire enjôleur, car ils sont tous deux des spécialistes en la matière. Le cynisme de l'homme Gémeaux risque fort, à la longue, de déplaire à sa partenaire et d'éveiller son caractère vindicatif. Le couple peut toutefois durer sur un mode très libéral.

Gémeaux-Cancer

Un duo qui peut facilement retomber en enfance et vivre en osmose. L'entente est possible si le Gémeaux met un bémol à son goût du flirt et ménage le Cancer, fidèle et possessif. Un pari qui reste difficile, car le Gémeaux ne peut apporter aucune des certitudes dont le Cancer se nourrit. Le Cancer veut aller dans une direction très précise, alors que le Gémeaux préfère les plaisirs individuels aux opérations en tandem. Les deux signes ont du mal à prendre des responsabilités et à sortir de leur univers imaginaire. Ils s'en apprécient d'autant plus, mais la construction d'un foyer peut être difficile, au grand regret du Cancer. Ces deux natures sont plutôt faites pour être amies. L'homme Cancer vit dans l'appréhension des infidélités de la femme Gémeaux, qui peut le trouver plat et ennuyeux. L'homme Gémeaux fuit la possessivité de la femme Cancer, qui ne trouve pas chez son partenaire la douceur dont elle rêve. Si le Gémeaux s'épanouit pleinement dans cette union, le Cancer risque de souffrir.

Couple célèbre : Johnny Hallyday (Gémeaux) et Nathalie Baye (Cancer).

Gémeaux-Lion

Un coup de foudre prévisible, mais le quotidien peut faire tanguer ce couple à long terme. Bien que le Gémeaux moqueur puisse vexer le Lion, ils seront complémentaires s'ils arrivent à se partager le devant de la scène, qu'ils aiment autant l'un que l'autre. Le Lion laisse passer les caprices du Gémeaux jusqu'à un certain point, mais sa générosité a des limites. Par ailleurs, la diplomatie du Gémeaux peut caresser dans le sens du poil l'orgueil de son partenaire Lion. Ils s'entendent bien, mais leur égoïsme peut les conduire à choisir des voies divergentes. La femme Gémeaux attise le feu de l'homme Lion et satisfait son besoin de prestige. Ce couple traverse tout de même des moments de fidélité douteuse. La femme Lion, avec sa susceptibilité frémissante, s'harmonise difficilement avec l'ironique homme Gémeaux.

Couple célèbre : John (Gémeaux) et Jackie Kennedy (Lion).

Gémeaux-Vierge

Ce couple est uni par la curiosité intellectuelle, mais celle-ci ne s'exprime pas de la même façon. Elle est virevoltante chez le Gémeaux, précise chez la Vierge. Le sens de l'humour et la complicité peuvent prendre fin si le Gémeaux devient trop girouette. La Vierge peut être choquée par le Gémeaux, lequel est étonné par cette attitude moralisatrice. Les tentatives de la Vierge d'analyser le comportement erratique de son partenaire tournent court et l'entente n'est pas garantie. La séduction des premiers instants peut vite s'évaporer, la Vierge étant assez méfiante et le Gémeaux ayant tendance au mensonge. Il y a beaucoup de non-dit dans cette union. La femme Gémeaux trouve chez l'homme Vierge une retenue dans les manifestations affectives qui ne lui déplaît pas. La femme Vierge, elle, a trop peur d'être déçue pour s'aventurer sans complexe sur le territoire de l'homme Gémeaux.

Gémeaux-Balance

Ces deux capricieux sont faits pour s'entendre. Ils s'aiment dans la bonne humeur et la légèreté, discutant des nuits entières et adorant tous deux la vie sociale. Intelligents et raffinés, charmeurs et instables, ils se comprennent parfaitement, mais leurs projets ont du mal à aboutir à cause des tergiversations de la Balance et de l'inconstance du Gémeaux. Ils forment un « joli couple », mais le romantisme secret de la Balance pourrait souffrir de l'indifférence du Gémeaux, toujours en quête de nouvelles expériences. La femme Balance sait calmer l'homme Gémeaux, car elle ne se laisse pas facilement manipuler. La femme Gémeaux est séduite par l'homme Balance, mais elle peut abuser de sa gentillesse. Côté sexe, le plaisir est garanti grâce à l'imagination féconde des deux partenaires.

Gémeaux-Scorpion

Ils s'unissent par curiosité et forment un couple solide que seule l'autocritique peut détruire. Leur envie commune de découvrir emprunte des chemins différents : le Scorpion a besoin d'approfondir sa connaissance de la chair, alors que le Gémeaux déambule dans le dédale de l'esprit. Ils arrivent à se comprendre, car le Scorpion est direct et le Gémeaux y voit clair. Les risques et les aventures nouvelles ne les effraient pas, mais peuvent tourner au vinaigre si les partenaires jouent le jeu de la provocation mutuelle. L'homme Gémeaux n'est probablement pas assez charnel au goût de la femme Scorpion, mais leur vie de couple ne manque pas de piquant. La femme Gémeaux ne rate pas l'occasion d'aller découvrir les secrets de l'homme Scorpion, mais sa possessivité l'inquiète et elle peut rapidement emprunter la sortie de secours.

Couple célèbre : le prince Rainier (Gémeaux) et Grace Kelly (Scorpion).

Gémeaux-Sagittaire

La vie est une aventure permanente pour ces deux voyageurs qui avancent sur deux routes parallèles en se complétant idéalement. Enthousiastes et pionniers, ils ne manquent ni de projets ni de longues discussions. Parfois, ils ne font que se croiser, le Gémeaux étant absorbé par ses manèges et le Sagittaire étant tourné vers les grands espaces. La morale souple du Gémeaux gêne l'idéalisme et la fidélité du Sagittaire, mais ce duo se retrouve sur le terrain de la conquête. La femme Gémeaux et l'homme Sagittaire s'amusent beaucoup socialement au début de leur union. Mais avec le temps, des divergences s'installent et s'instaure alors un *modus vivendi* où chacun suit son chemin sans gêner l'autre. La femme Sagittaire n'a pas de prise sur l'homme Gémeaux.

Couple célèbre : Jacques (Sagittaire) et Bernadette Chirac (Gémeaux).

Gémeaux-Capricorne

Le Capricorne risque de perdre le nord et le Gémeaux de s'ennuyer royalement. Ils n'ont pas grand-chose en commun, si ce n'est un certain sens pratique. De plus, la magie du premier regard n'opère pas entre eux, bien au contraire... Le Capricorne n'est pas du genre à se faire ensorceler par un sourire charmeur et le Gémeaux se fatigue vite du sérieux du Capricorne. Pourtant, s'ils s'efforçaient de se connaître davantage, ils découvriraient sûrement des complémentarités précieuses : légèreté et pesanteur ne peuvent que s'équilibrer mutuellement. Les habitudes rassurantes de l'homme Capricorne sont bouleversées par les incessants changements d'humeur de la femme Gémeaux ; le couple ira de l'avant si l'homme joue le repère fixe. L'homme Gémeaux a de bonnes chances de déclencher l'hostilité de la femme Capricorne par ses bravades et sa désinvolture.

Couple célèbre : Jean-Paul Sartre (Gémeaux) et Simone de Beauvoir (Capricorne).

Gémeaux-Verseau

Un duo aérien au pays des merveilles... Une quête identique d'émotions et de stimulations intellectuelles les unit, les attire irrésistiblement l'un vers l'autre. Ces amoureux de la liberté partagent le goût de l'inhabituel et s'harmonisent pour devenir un couple qui s'adapte à l'évolution des sentiments. Sexuellement, les débuts sont ensommeillés ; toutefois, si le

Gémeaux prend les rênes, le Verseau sortira de sa torpeur. La femme Gémeaux est une bonne compagne pour l'homme Verseau. Drôle et légère, elle le laisse vivre sa vie, s'épanouir dans ses idées. Cependant, elle risque d'abuser de sa naïveté. En revanche, la femme Verseau et l'homme Gémeaux sont ravis de se séduire dans un rapport cérébral fondé sur l'union libre.

Gémeaux-Poissons

Des flirts et des embuscades sont au programme pour ce duo qui se dérobe et pratique la fuite en avant. Le Gémeaux, girouette en apparence, n'en est pas moins lucide. Quant au Poissons, bien qu'irrationnel, il maîtrise les mécanismes de l'intuition. Tous deux peuvent se comprendre tout en ne parlant pas le même langage, mais ils sont si insaisissables qu'ils ont du mal à se stabiliser. Le Gémeaux peut tourner en dérision l'émotivité du Poissons, lequel se tient instinctivement à distance. Le romantisme de la femme Poissons risque d'être déçu par le Gémeaux volage, même si l'érotisme y trouve son compte. L'homme Poissons trouve en la femme Gémeaux une compagne à sa hauteur pour les conquêtes extraconjugales, mais il finit par dévoiler son besoin d'affection et ne tient pas la dragée haute très longtemps à sa flirteuse partenaire.

CANCER

Caractère amoureux en dix mots-clés :

Sentimental. Sensible. Fidèle. Possessif. Inquiet. Intuitif. Protecteur. Tenace. Susceptible. Amical.

L'homme Cancer

C'est sûrement l'homme du zodiaque qui comprend le mieux la psychologie féminine. Tendre, rêveur, il est prêt à se consacrer entièrement aux désirs de sa partenaire, mais pour cela, il a besoin de se sentir en confiance. Patient et persévérant, il séduit par son charme intimiste et ne se livre pas rapidement. Il cherche l'entente, l'osmose amoureuse, et ne contrecarre pas les envies de sa partenaire, sachant pertinemment qu'il aura le dernier mot. Il est lunatique, pouvant passer de la plus grande gentillesse à des démonstrations spectaculaires de mauvaise humeur et n'hésitant pas à employer le chantage affectif.

Quoi qu'il en soit, il aspire à une vie confortable au foyer. Pour y parvenir, il renonce à la vie mondaine qu'il apprécie et s'efforce d'oublier son petit côté rebelle. Il est fier de sa famille et rêve de prestige. Au fond, c'est un traditionnel qui recherche une femme lui rappelant sa mère. Sa partenaire devra d'ailleurs absolument respecter la place de cette dernière. Elle devra également être entreprenante et ne pas réclamer d'explications quand monsieur a « ses humeurs ». En effet, l'homme Cancer est susceptible et conserve jalousement son jardin secret. Toutefois, il a un cœur d'or et pardonne toujours, ce qui le mène parfois dans des impasses dont il s'extirpe difficilement. Amical et réservé, c'est un fidèle, même s'il n'a pas l'œil dans sa poche.

Sexuellement, sous ses apparences passives, il cache un tempérament infatigable et sensuel. Il veut du romantisme et adore jouer au docteur...

Hommes célèbres : Louis Armstrong, Daniel Auteuil, Claude Chabrol, Lionel Jospin, Antoine de Saint-Exupéry.

La femme Cancer

Femme-enfant, puis mère exemplaire, elle charme sans efforts grâce à sa simplicité et à sa grande intuition des désirs de son partenaire. Elle est timide et rêve souvent d'amour à l'eau de rose, mais elle apprend rapidement à faire face aux exigences du couple. Elle aime entièrement, mais l'objectivité n'est pas son fort, car elle se laisse submerger par les émotions et a peur de ne pas être aimée.

Possessive, elle risque de suffoquer son partenaire avec ses demandes de confirmations d'amour, mais elle est suffisamment habile pour lui donner l'impression de diriger le ménage. Elle sait ce qu'elle veut, a le pouvoir de changer radicalement d'avis, et joue de son image vulnérable et enfantine pour obtenir satisfaction. Elle recherche avec détermination une union protectrice et sentimentale lui permettant de fonder une famille nombreuse. La femme Cancer est prête à voyager, mais elle veut sentir un univers solide autour d'elle. Elle rêve de retomber en enfance et de bénéficier de tous les avantages matériels. Attirée par les hommes mûrs, elle attend de son partenaire un soutien de tous les instants et peut parfois se faire des illusions amoureuses.

Sexuellement, sous une quête discrète de tendresse perpétuelle, elle cache une nature sensuelle, langoureuse et intense. Ne vous inquiétez pas si elle pleure et vous accuse de mille choses, c'est sa façon de se libérer de ses craintes. Elle n'en reste pas moins une partenaire rêvée, avec laquelle on peut vivre une union durable.

Femmes célèbres : Isabelle Adjani, Victoria Abril, Juliette Greco, Nathalie Sarraute, Annie Duperrey.

LE CANCER ET LES AUTRES SIGNES

Cancer-Bélier

L'entente est difficile, même s'ils ont des choses à se dire. Le Bélier a besoin d'indépendance et s'accommode mal de l'attitude protectrice et de l'amour de l'intimité du Cancer. Ce dernier veut être cajolé, rassuré, et ne trouve pas ce qu'il cherche auprès de l'impétueux Bélier, qui fuit son étreinte possessive. Le Bélier blesse souvent la sensibilité et la délicatesse du Cancer, qui doute perpétuellement de la fidélité de son partenaire. Au premier regard, le Bélier attire l'attention du Cancer, qui le perçoit comme un spectacle étonnant. Mais le Bélier est bien trop joueur pour le sérieux du Cancer qui, s'il se laisse subjuguer et entraîner, se sent rapidement mal à l'aise, voire en danger. La patience réciproque est l'ingrédient indispensable pour que ce couple dure. Au lit, les rapports sont harmonieux au premier abord, la fougue du Bélier comblant les fantasmes du Cancer. S'il s'agit d'une femme Cancer et d'un homme Bélier, le rapport peut facilement rentrer dans une logique victime-bourreau. L'union femme Bélier-homme Cancer semble moins évidente, mais elle reste possible à condition que la femme se laisse adoucir.

Cancer-Taureau

Ils se marièrent et vécurent toujours ensemble... C'est loin d'être une vie d'aventures et de surprises, mais c'est une association idéale pour une vie de famille. Tous les deux recherchent la sécurité et la tendresse. Ils aspirent à une vie calme et paisible, à couler des jours heureux dans une maison remplie d'enfants. Sexuellement, ils préfèrent tous deux la douceur, les plaisirs sans complications. Une ombre au tableau: la possessivité et la susceptibilité peuvent les mener à l'étouffement et aux ruptures brusques. Le couple homme Cancer-femme Taureau s'établit sur des bases de tendresse et de retour à l'enfance. Cependant, l'homme Cancer peut se révéler un tyran secret. En ce qui concerne l'association femme Cancer-homme Taureau, l'obstination de l'une et l'entêtement de l'autre risquent d'assombrir une union autrement sans nuages.

Couple célèbre: Dominique Strauss-Kahn (Taureau) et Anne Sinclair (Cancer).

Cancer-Gémeaux

Un duo qui peut facilement retomber en enfance et vivre en osmose. L'entente est possible si le Gémeaux met un bémol à son goût du flirt et ménage le Cancer, fidèle et possessif. Un pari qui reste difficile, car le Gémeaux ne peut apporter aucune des certitudes dont le Cancer se nourrit. Le Cancer veut aller dans une direction très précise, alors que le Gémeaux préfère les plaisirs individuels aux opérations en tandem. Les deux signes ont du mal à prendre des responsabilités et à sortir de leur univers imaginaire. Ils s'en apprécient d'autant plus, mais la construction d'un foyer peut être difficile, au grand regret du Cancer. Ces deux natures sont plutôt faites pour être amies. L'homme Cancer vit dans l'appréhension des infidélités de la femme Gémeaux, qui peut le trouver plat et ennuyeux. L'homme Gémeaux fuit la possessivité de la femme Cancer, qui ne trouve pas chez son partenaire la douceur dont elle rêve. Si le Gémeaux s'épanouit pleinement dans cette union, le Cancer risque de souffrir.

Couple célèbre : Johnny Hallyday (Gémeaux) et Nathalie Baye (Cancer).

Cancer-Cancer

Ce tandem avance à reculons. Ensemble, ils ressassent le passé et se racontent leur vie sans regarder l'avenir. Romantiques et imaginatifs, ils assument mal les responsabilités malgré leur envie commune d'un nid tendre et douillet. Ils rêvent de calme, mais le trouvent difficilement l'un avec l'autre, car ils sont trop sensibles et se blessent facilement. Attention à l'étouffement réciproque : l'ennui pointe vite le bout de son nez, suivi par des séances de bouderies et des scènes de ménage. Si leur *ego* ne prend pas le dessus, leur côté fleur bleue leur promet de bons moments d'évasion avant que leurs enfants ne viennent leur changer les idées et sauver leur couple replié sur lui-même. Sexuellement, il y a de fortes chances que les débuts soient délicats, puisque chacun attend que l'autre prenne l'initiative.

Cancer-Lion

Un bon couple qui doit faire preuve de modération. En effet, le Cancer peut s'effacer complètement sous le joug du Lion dominateur et se consacrer uniquement à la vie de famille. Dans ce cas, le Lion va voir ailleurs, car il veut briller avec sa partenaire. Pourtant, si tout se passe bien, c'est un couple harmonieux, bâti pour les projets solides. Le Lion aime protéger et le Cancer n'attend que cela pour se dévouer en retour. Au quotidien, ils doivent surmonter leur penchant à la bouderie. L'idéal serait la combinaison femme Cancer-homme Lion, parfaits pour élever des enfants, même si l'homme Lion a tendance à ne pas prendre au sérieux l'émotivité de sa partenaire. L'association homme Cancer-femme Lion risque de connaître des turbulences sur le plan de la communication, car le sens des nuances de l'homme Cancer irrite la femme Lion, qui a besoin de points de repère nets.

Couple célèbre : Daniel Auteuil (Cancer) et Emmanuelle Béart (Lion).

Cancer-Vierge

Un couple harmonieux, tout en douceur et en pudeur. Ces deux êtres aiment la vie tranquille à la maison. Entre eux, les disputes sont rares. Ils se complètent : la Vierge remet les pendules du Cancer à l'heure, et le Cancer nourrit la relation par son imaginaire et sa fantaisie. L'une est serviable, l'autre dévoué, et les deux sont fidèles, sensibles et pudiques. Toutefois, la sensualité du Cancer, son goût pour la conversation et son besoin irrépressible d'être rassuré affectivement sont loin d'être comblés par la Vierge, qui n'aime pas exprimer ses sentiments. Le Cancer risque de souffrir de cette froideur. Il y a pourtant une solide entente entre ces deux natures qui ont de bonnes chances de former un couple « pépère ». La configuration optimale est la femme Cancer avec l'homme Vierge, chacun pouvant assumer le rôle qui lui convient le mieux : la femme Cancer prend en charge les affaires du quotidien qui ennuient l'homme Vierge, lequel lui exprime en retour un amour constant. Le couple femme Vierge-homme Cancer doit éviter la routine à tout prix, car si le duo fonctionne sans anicroche, l'homme Cancer a tout de même besoin de rêve. S'il en est privé, il peut se replier sur lui-même.

Cancer-Balance

Entre ces deux signes, la romance bat son plein. Réceptifs, sentimentaux et intuitifs, ils apprécient tous deux les moments de douceur et veulent une vie affective bien remplie. Pourtant, même s'ils s'attirent et semblent s'entendre, la Balance n'arrive pas à infléchir la détermination du Cancer, mal à l'aise devant les hésitations de la Balance. Ils ont du mal à se comprendre, car ils préfèrent tous deux se laisser guider, n'étant ni l'un ni l'autre des meneurs. Cela vaut pourtant la peine d'essayer, mais le résultat n'est pas garanti. Pour une vie agréable à la maison, la conjonction est bonne, mais le Cancer, trop possessif, finit souvent par faire fuir la Balance. La rencontre de l'homme Cancer et de la femme Balance offre d'excellentes perspectives amoureuses, puisque cette dernière n'en veut pas à son partenaire lorsqu'il fuit les responsabilités. En revanche, même si la femme Cancer plaît à l'homme Balance, celui-ci a de bonnes chances de s'ennuyer en sa compagnie et de devenir mélancolique.

Cancer-Scorpion

Une union paradoxale, riche en émotions, en pensées secrètes et en intuitions. L'attirance physique et psychique est très forte entre ces deux signes. Leurs jeux amoureux peuvent tourner à des rapports de domination où le Cancer n'aurait pas forcément la part belle. Ces deux êtres se comprennent instinctivement et tentent de vivre en osmose même s'ils ont des visions différentes de la vie: le Cancer veut bâtir, le Scorpion est attiré par des jeux destructeurs. C'est le nirvana ou le désastre. La relative misogynie de l'homme Scorpion risque de perturber la femme Cancer, qui accepte néanmoins sa domination. Elle doit toutefois amener son partenaire vers des pensées positives. L'homme Cancer admire la force et l'activité de la femme Scorpion et calme ses angoisses, mais il ne réussit pas à chasser l'inquiétude qu'elle suscite en lui.

Couple célèbre: Lady Di (Cancer) et le prince Charles (Scorpion).

Cancer-Sagittaire

L'esprit voyageur du Sagittaire alimente le côté bohème du Cancer. Une association inhabituelle, mais prometteuse: ils rêvent tous deux, l'un d'amour, l'autre d'horizons nouveaux. S'ils arrivent à trouver un îlot commun, ils couleront des jours heureux. Le Cancer aura trouvé un aventurier donnant à ses rêves le parfum de la réalité, et le Sagittaire aura un partenaire sensible à prendre sous son aile. Leurs premières impressions mutuelles peuvent toutefois être trompeuses: le Sagittaire peut se révéler plus conventionnel que prévu et le Cancer moins désemparé qu'il ne le laisse croire au premier abord. Sexuellement, le Sagittaire risque de choquer le pudique Cancer. Attention aux réveils brutaux, quand les partenaires prendront enfin la mesure de leurs personnalités respectives. Les valeurs de la femme Cancer n'ont aucune prise sur l'homme Sagittaire qui, dans sa jeunesse, n'a que faire de la tranquillité. La femme Sagittaire, elle, séduit et entraîne l'homme Cancer, mais quand arrivent les moments critiques, leurs routes se séparent. Le Cancer rebrousse alors chemin et le Sagittaire va de l'avant. Une union qui peut fonctionner à l'âge mûr, lorsque le Sagittaire s'est calmé.

Cancer-Capricorne

C'est le jour et la nuit. Inévitablement unis par une alliance conventionnelle, ils se complètent idéalement. Le Capricorne, peu démonstratif, est soulagé par les marques de tendresse du Cancer, qui apprécie son honnêteté irréprochable et se sent protégé. La méfiance du Capricorne est désarmée par la sensibilité du Cancer, qui devine le manque affectif sous la froideur du Capricorne et s'ingénie à le combler. La rigidité du Capricorne ne trouve toutefois pas d'écho chez le Cancer, trop fantaisiste pour lui. À la longue, leurs différences pourraient émousser leurs sentiments amoureux, laissant place à une solide affection. C'est le couple classique et stable, si la femme est Cancer et l'homme Capricorne : la mère de famille et le travailleur qui assume les responsabilités. Au contraire, la femme Capricorne ne comprend pas l'homme Cancer qui, au lieu de se faire materner, se bute à la sécheresse de sa partenaire.

Cancer-Verseau

Plutôt timides, naïfs et idéalistes, ces deux êtres délicats ont des relations plus amicales que charnelles. Ils sont complices et se rassurent en s'évadant ensemble sur le terrain de l'imaginaire. Le Verseau est attiré par les fines intuitions du Cancer qui, lui, apprécie l'inventivité de son partenaire. Ils sont sincères et s'apprécient, mais quand le Cancer prend des décisions, c'est pour la vie, alors que le Verseau ne sait jamais de quoi sera fait le lendemain. Le Cancer ne comprend pas le manque d'extériorisation affective du Verseau, qui se sent étouffé par l'amour du Cancer. Souvent, l'un des deux se sacrifie pour que le couple passe l'épreuve du temps. Sinon, l'amitié prend le dessus. L'homme Cancer et la femme Verseau forment un couple tolérant et rêveur, même si cette dernière est agacée par la tendance de son partenaire à vivre dans le passé. La femme Cancer peut entretenir des rapports complices avec l'homme Verseau, quand elle réussit à le chouchouter sans être trop possessive.

Cancer-Poissons

La communication aquatique s'effectue ici par antennes sensorielles. Ils se reçoivent dix sur dix. Très intuitifs et affectueux, ils veulent rêver ensemble en oubliant leurs différences. En effet, le Poissons ne résiste pas toujours aux tentations et le Cancer s'accommode mal de cette morale flexible. Ils peuvent s'adorer quand ils se comprennent à demi-mot, mais s'agacer dans le quotidien, qu'ils ont du mal à affronter l'un et l'autre. Ayant tendance à la déprime, ils se soutiennent mutuellement, mais doivent faire attention à ne pas se laisser aller au blues, car ce serait le naufrage assuré. La femme Cancer doit sortir ses meilleurs atouts pour éviter la fuite en catimini du Poissons. Leur relation est toute naturelle ; ils vivent une alchimie parfaite jusqu'au moment où la femme Cancer tente de connaître les véritables motivations de son partenaire, qui se refuse à les dévoiler. La meilleure association est le couple femme Poissons-homme Cancer. Ils vivent dans le rêve sans se poser de questions et les sentiments sont toujours au rendez-vous. Seule l'absence de prise de responsabilités peut malmener leur barque affective.

LION

Caractère amoureux en dix mots-clés :
Loyal. Généreux. Orgueilleux. Ambitieux. Décidé. Épanoui. Narcissique. Impatient. Sentimental. Exhibitionniste.

L'homme Lion

Entier, le Lion conquiert avec passion et romantisme, en se pavanant. Quand il convoite une femme, il ne la lâche pas, sûr de son magnétisme. C'est le genre d'homme à faire des déclarations. Il est exigeant envers sa partenaire à qui il donne sans compter : celle-ci doit l'admirer sans condition. Il ne fait rien à moitié, la tiédeur l'ennuie. Mais cet amoureux protecteur a parfois une trop haute estime de lui-même, qui peut virer au narcissisme et le pousser à l'infidélité. Certains hommes de ce signe ne semblent pas faits pour le mariage, à moins qu'ils ne trouvent celle qui saura les flatter sans se poser en rivale et les aidera à briller de tous leurs feux. L'heureuse élue aura une vie facile, pleine de péripéties émotionnelles alimentées par l'énergie débordante et la passion du Lion. Dominateur et ambitieux, celui-ci décide de la vie de sa compagne et la couvre d'attentions amoureuses. Mais attention, celle-ci doit éviter d'en faire autant, car il trouverait cela exaspérant.

Sa vie sexuelle est extrême, impérieuse et exempte de perversité. Ce phallocrate nourri par le goût du spectacle a toutefois tendance à l'exhibitionnisme sentimental. Il lui arrive d'aimer pour satisfaire ses ambitions. Il peut soudainement devenir brusque et se transformer en tyran si sa partenaire ne sait pas contrôler ses caprices.

Hommes célèbres : Robert De Niro, Roman Polanski, Éric Tabarly, Fidel Castro, Stanley Kubrick.

La femme Lion

Elle a autant besoin d'admiration que son homologue masculin. Théâtrale et extravertie, elle recherche l'attention des autres, mais rêve d'un amour unique et entier, et ne fait jamais le premier pas. Sûre d'elle, indépendante, cette forte femme attend des témoignages d'amour avant de se donner avec une vitalité intense. Malgré une générosité et un dévouement incontestables, elle est orgueilleuse et impatiente, ce qui peut lui nuire sentimentalement. Elle aime fiévreusement, se monte la tête, et son énergie peut aussi bien renforcer qu'écraser son élu. Sa possessivité se révèle parfois dévorante, à moins qu'elle ne réussisse à la contrôler. Elle supporte mal la critique, et son partenaire idéal doit savoir désamorcer ses colères explosives.

C'est cependant une femme remarquable et enthousiaste, qui a le cœur sur la main. Elle s'accomplit entièrement dans une union durable. Si elle ne trouve pas l'homme qu'elle juge digne d'elle, la femme Lion se projettera dans sa carrière professionnelle et pourra éventuellement se tourner vers des amours au féminin.

Sur le plan sexuel, un optimisme débordant et des désirs violents la caractérisent. Son impatience ne l'empêche pas d'aimer les découvertes prolongées, mais elle préfère les caresses franches, plus en accord avec sa nature exigeante et impérieuse. Pour elle, amour et sexe ne font qu'un.

Femmes célèbres : Madonna, Elsa Morante, Claire Devers, Catherine Destivelle.

LE LION ET LES AUTRES SIGNES

Lion-Bélier

Ces deux natures généreuses peuvent faire un long bout de chemin ensemble. Sentimentaux, passionnés, ils pratiquent l'amour-fusion. Ils veulent construire et se trouvent facilement des objectifs et des idéaux communs, en particulier celui de former un couple admiré en société. Mais attention, ils sont tous deux narcissiques, susceptibles et orgueilleux. Des conflits d'autorité et des reproches mutuels peuvent surgir. Leurs désaccords sont sans appel. Pour éviter d'entrer en rivalité, ces deux signes de Feu doivent accepter de briller à tour de rôle. Le Bélier propose, le Lion dispose. La meilleure association est femme Bélier-homme Lion, car ils s'admirent réciproquement. En revanche, la femme Lion aime diriger, ce qui ne convient pas forcément à l'homme Bélier. Côté sexe, les deux signes s'attirent, mais le Lion s'offusque parfois des entreprises audacieuses du Bélier.

Lion-Taureau

Deux têtus qui peuvent s'unir et arriver à bâtir une vie commune s'ils dépassent leurs antagonismes reliés au pouvoir. La communication ne sera pas toujours facile, ce qui pourra être source d'incompréhension mutuelle. Aussi directs l'un que l'autre, ils se retrouvent sur le plan matériel et leurs sentiments sont sincères. C'est une union de chercheurs d'or : le Lion a les ambitions, et le Taureau les moyens de calmer la fièvre de son partenaire. Pourtant, entre le Taureau opiniâtre et le Lion intransigeant, les frictions ne peuvent pas toujours être évitées, à moins que leurs territoires respectifs ne soient parfaitement définis. En effet, le Lion peut être tenté de posséder l'espace vital du Taureau, lequel ne se laissera pas faire. Sur le plan sexuel, de bons moments en perspective, mais le narcissisme du Lion convient mal au Taureau. L'union sera plus réussie si la femme est Taureau et laisse la direction des opérations à l'homme Lion. Dans le cas inverse, la susceptibilité de la femme Lion sera heurtée par le Taureau, qui se met souvent les pieds dans le plat !

Lion-Gémeaux

Un coup de foudre prévisible, mais le quotidien peut faire tanguer ce couple à long terme. Bien que le Gémeaux moqueur puisse vexer le Lion, ils seront complémentaires s'ils arrivent à se partager le devant de la scène, qu'ils aiment autant l'un que l'autre. Le Lion laisse passer les caprices du Gémeaux jusqu'à un certain point, mais sa générosité a des limites. Par ailleurs, la diplomatie du Gémeaux peut caresser dans le sens du poil l'orgueil de son partenaire Lion. Ils s'entendent bien, mais leur égoïsme peut les conduire à choisir des voies divergentes. La femme Gémeaux attise le feu de l'homme Lion et satisfait son besoin de prestige. Ce couple traverse tout de même des moments de fidélité douteuse. La femme Lion, avec sa susceptibilité frémissante, s'harmonise difficilement avec l'ironique homme Gémeaux.

Couple célèbre : John (Gémeaux) et Jackie Kennedy (Lion).

Lion-Cancer

Un bon couple qui doit faire preuve de modération. En effet, le Cancer peut s'effacer complètement sous le joug du Lion dominateur et se consacrer uniquement à la vie de famille. Dans ce cas, le Lion va voir ailleurs, car il veut briller avec sa partenaire. Pourtant, si tout se passe bien, c'est un couple harmonieux, bâti pour les projets solides. Le Lion aime protéger et le Cancer n'attend que cela pour se dévouer en retour. Au quotidien, ils doivent surmonter leur penchant à la bouderie. L'idéal serait la combinaison femme Cancer-homme Lion, parfaits pour élever des enfants, même si l'homme Lion a tendance à ne pas prendre au sérieux l'émotivité de sa partenaire. L'association homme Cancer-femme Lion risque de connaître des turbulences sur le plan de la communication, car le sens des nuances de l'homme Cancer irrite la femme Lion, qui a besoin de points de repère nets.

Couple célèbre : Daniel Auteuil (Cancer) et Emmanuelle Béart (Lion).

Lion-Lion

Deux passionnés qui forment un couple rayonnant et partagent des sentiments intenses. Ce duo fier et franc, soucieux de son apparence, aime s'afficher en public et se faire admirer. Mais l'union peut vite être compromise entre ces natures dominatrices qui rivalisent en s'ingérant dans la sphère de l'autre. Les coups d'éclat, les colères et les susceptibilités risquent d'assombrir cette alliance toute en puissance. S'ils évitent ces écueils, rien ne pourra arrêter ces deux grands amoureux tendus vers l'avenir. Sexuellement, c'est la grande parade entre ces deux nombrilistes. L'homme Lion, aux tendances manipulatrices, a fort à faire avec sa compagne, qui n'hésite pas à provoquer des esclandres en public pour le faire filer droit.

Couple célèbre : Madonna et Sean Penn.

Lion-Vierge

Pas vraiment faits pour vivre ensemble, ces deux-là... Hormis une entente intellectuelle qui les met sur le même plan, la Vierge risque de perdre ses moyens devant le Lion dominateur. Leurs longueurs d'onde ne sont pas synchronisées, mais avec l'habitude, ils peuvent trouver des compromis pour rester ensemble. La Vierge apporte son dévouement au Lion narcissique en échange d'un souffle d'énergie revigorant. Mais attention : si la Vierge est trop pointilleuse et critique, elle risque d'irriter son partenaire. Sur le plan sexuel, ils ne sont pas sortis de l'auberge... Dans le couple femme Lion-homme Vierge, la susceptibilité de la femme Lion semble incompatible avec ce coupeur de cheveux en quatre, sauf s'il met de l'eau dans son vin. En revanche, la femme Vierge et l'homme Lion s'harmonisent plus facilement, à condition que celle-ci serve les desseins de son noble époux et apprenne à le caresser dans le sens du poil.

Couple célèbre : François Hollande (Lion) et Ségolène Royal (Vierge).

Lion-Balance

Luxe et volupté entre ces êtres qui attirent les regards en société. Ce sont deux sentimentaux désireux d'établir des rapports harmonieux avec l'âme sœur. Ils se rencontrent en général dans les fêtes de leur vie sociale animée. L'homme Lion se sent fier de sa partenaire Balance, mondaine et féminine, qui l'aide à briller et à rehausser son éclat. Reconnaissant, il la couvre de cadeaux. La femme Balance, elle, est comblée par toute cette attention et sait amadouer avec diplomatie l'orgueil de son compagnon. Quant à la femme Lion et à l'homme Balance, ces deux romantiques doivent prendre garde à ne pas inverser leurs rôles respectifs : la femme Lion pourrait mener le ménage à la baguette sans rencontrer de résistance. Sur le plan sexuel, leurs nuits sont pleines de rebondissements fastueux.

Couple célèbre : Zelda (Lion) et Scott Fitzgerald (Balance).

Lion-Scorpion

Voici deux animaux redoutables dans la hiérarchie de la jungle. Passionnés et séducteurs, ils unissent leurs couleurs sous la bannière de la force. Le Lion explose, le Scorpion implose. Ils se disputent la suprématie : noblesse et loyauté contre secrets et passions obscures. Une rencontre qui promet bien des plaisirs et scelle la destruction ou la puissance. Sexuellement, c'est l'entente parfaite, dans une intensité incomparable qui tourne très souvent à l'exhibitionnisme. L'homme Scorpion ne peut pas jouer à ses petits jeux de bourreau-victime avec la femme Lion, car c'est une femme de sa trempe qui ne s'en laisse pas conter. Ce couple ne peut éviter les affrontements. En revanche, le couple homme Lion-femme Scorpion s'harmonise davantage, car la femme Scorpion admire son partenaire et se dévoue entièrement à lui.

Couple célèbre : Bill (Lion) et Hillary Clinton (Scorpion).

Lion-Sagittaire

Un des plus beaux couples du zodiaque. Ils sont tous deux chaleureux, enthousiastes et nobles d'esprit. Ils construisent avec franchise et honnêteté une vie marquée par la réussite. Ces deux signes de Feu, profondément complices, doivent seulement éviter d'entrer en compétition, car ils ont tendance à la vanité. Attention à la critique ! Aucune de ces deux natures fières ne passe l'éponge facilement. Le Lion boude et le Sagittaire rechigne à se soumettre, ce qu'il finit pourtant par accepter, captivé par les beaux yeux du Lion. L'idéal est l'association femme Lion-homme Sagittaire, car la femme Sagittaire est plutôt attirée dans sa jeunesse par des natures plus vagabondes.

Couples célèbres: Marcel Cerdan (Lion) et Édith Piaf (Sagittaire); Alberto Moravia (Sagittaire) et Elsa Morante (Lion).

Lion-Capricorne

L'ambition unit ces êtres qui ont besoin de concrétiser leurs projets. Ils forment un duo solide où le respect joue un rôle primordial. Ils se retrouvent sur le plan de leur grande volonté commune et apprécient leurs visions mutuelles. Le Capricorne a de la suite dans les idées, le Lion pense à la gloire immédiate. Un couple qui fonctionne tant qu'il y a de l'action, mais à la longue, les reproches seront inévitables. Car l'attitude impétueuse du Lion énerve le Capricorne, qui, par sa froideur, blesse le généreux Lion. La femme Lion et l'homme Capricorne ne se séduisent pas au premier abord en raison d'un manque de communication spontanée. Cependant, ils partagent des valeurs concrètes communes qu'ils apprécient au quotidien. La femme Capricorne, elle, n'est peut-être pas la compagne idéale du fier Lion, car elle ne supporte pas qu'on lui impose une façon de vivre.

Lion-Verseau

Le Lion est centré sur lui-même, le Verseau est plus altruiste. Le Lion est pragmatique, le Verseau se perd dans sa bulle. Deux tempéraments aux antipodes, qui se fascinent tout en se repoussant. Le goût de liberté du Verseau en prendra un coup avec le Lion, qui veut tout superviser. L'amitié est probable entre eux; quant à l'amour, cela reste à voir. Un bon point, cependant, le Verseau ne fait jamais d'ombre au Lion, une qualité que ce dernier apprécie grandement. Bien qu'ils soient tous deux sentimentaux et idéalistes, la rigidité du Lion ne fait pas bon ménage avec l'évanescence du Verseau. Un couple déconcertant... La femme Lion et l'homme Verseau peuvent s'attirer au premier abord, mais ce dernier tend à fuir les directives de cette femme entreprenante. L'homme Lion vit quant à lui une aventure romantique avec la femme Verseau, qui le place sur un piédestal. Mais s'il trébuche, elle le méprisera et deviendra insaisissable, ce qui sonnera le glas de cette idylle passionnée.

Lion-Poissons

Comment pourraient-ils se comprendre ? Ils aiment s'ébattre de deux manières radicalement différentes. Le Poissons aspire à devenir le prince de l'intimité, le Lion veut être le roi de la société. Le monde des secrets s'opposant aux planches du théâtre. Ils ne se disent jamais tout, car ils n'ont pas intérêt à sortir du romanesque, le seul fil qui les relie. Le Poissons peut quand même tirer une certaine force de la compagnie du Lion qui, de son côté, y gagne en sensibilité. Un duo réservé aux virtuoses. Le couple femme Lion-homme Poissons se construit sur des bases romanesques, mais à la longue, le goût du pouvoir de la femme Lion exaspère l'homme Poissons, qui s'enfuit à toute vitesse. Quant à la femme Poissons et à l'homme Lion, si entente il y a, ce sera sur le plan sexuel.

VIERGE

Caractère amoureux en dix mots-clés :
Rationnelle. Pudique. Fidèle. Modeste. Serviable. Inquiète. Critique. Habile. Discrète. Sceptique.

L'homme Vierge

Le signe de la Vierge est avant tout celui de l'intellect. On y recense un grand nombre de célibataires. L'homme Vierge demeure maître de lui ; il n'agit jamais sans réfléchir et recherche des amours sereines. Subtil et généralement fidèle, il ne se laisse pas aller aux coups de foudre, car il a du mal à exprimer ses émotions à sa compagne. Pourtant, lorsqu'il ne s'agit pas de sentiments, cet hypersensible est plutôt communicatif. Il tombe amoureux lentement, à feu doux, et apprend à se détendre avec l'âge. Il ne faut pas s'attendre à des déclarations d'amour spontanées, ni trop lui en demander dans ce domaine, car il ne sait pas comment s'y prendre.

Pour faire face à ce caractère réservé mais dévoué, sa partenaire doit veiller à lui redonner confiance et à lui procurer une vie de couple confortable. Il lui faut absolument éviter de se formaliser des critiques de cet homme parfois ironique qui raffole des jeux d'esprit. Susceptibles s'abstenir, car cet homme rationnel touche souvent juste !

Ses affections sont simples et relativement conformistes, ce qui n'en fait pas un chaud lapin au lit. On a parfois l'impression qu'il est ailleurs. En revanche, il est parfait pour les femmes en quête de douceur et d'honnêteté. C'est le spécialiste des petites attentions. Mais ne vous méprenez pas, lorsque le temps aura fait son œuvre, il pourra dévoiler des fantasmes cachés... Et il en a plus d'un en réserve.

Hommes célèbres : Ottis Redding, Claude Nougaro, Sean Connery, Charlie Parker, Elia Kazan.

La femme Vierge

Une nature encore plus impénétrable que son homologue masculin. Ici, il faut établir une distinction entre la Vierge « folle » et la Vierge « sage ». Lorsqu'elle est jeune, la première se balance d'un amour à l'autre dans l'espoir de trouver l'idéal impossible. Elle se targue de mener une vie remplie de rencontres stimulantes, mais a du mal à s'apaiser intérieurement. Hantée par la peur de la solitude, elle n'arrive pas à arrêter sa fuite en avant. La Vierge « sage », au contraire, refrène ses émotions. Très réservée, elle a en sa faveur une grande intuition des désirs de son partenaire. Habile et fidèle, elle se met au service de son compagnon sans coquetterie aucune. C'est une femme irréprochable, un peu trop, peut-être... Au fond, elle cache une certaine intransigeance. Affectivement, elle manque d'assurance et rêve du grand amour, ce qui l'empêche parfois de passer à l'action et la conduit à sacrifier sa vie personnelle au profit du couple.

Qu'elle soit « folle » ou « sage », la femme Vierge crée des liens profonds tout en ayant besoin de stimulation. D'un tempérament jaloux, elle peut intérioriser longtemps ses peines de cœur et passer l'éponge sans mot dire. L'amour physique la libère de ses tensions et de ses angoisses psychosomatiques. Extrêmement romantique, très imaginative, elle doit trouver le partenaire qui la dégèlera et ne s'agacera pas de ses perpétuelles remarques.

Femmes célèbres : Sophia Loren, Greta Garbo, Ingrid Bergman, Lauren Bacall.

LA VIERGE ET LES AUTRES SIGNES

Vierge-Bélier

Ces partenaires ont de la difficulté à se comprendre. Avec sa nature analytique et raisonnée, la Vierge freine la fougue du Bélier, qui n'aime pas la critique. Au premier contact, le Bélier s'intéresse de très près à la Vierge qui, malgré sa retenue, risque de succomber. Mais à long terme, le Bélier finit souvent par s'ennuyer, et la Vierge se sent trahie par l'instabilité de son compagnon. Des tensions entre ces deux caractères aux antipodes l'un de l'autre sont à prévoir. La Vierge planifie trop au goût du Bélier, qui aime foncer la tête en avant. Mais si la Vierge est un peu « folle » et accepte l'aventure, ils peuvent se compléter : le Bélier apporte son dynamisme, la Vierge sa rationalité. Le romantisme, lui, passe aux oubliettes, à moins que la relation ne devienne du genre « on se sépare, on se retrouve » pendant des années.

Vierge-Taureau

Deux amoureux du silence qui s'estiment mutuellement. Ces deux signes de Terre reconnaissent leurs qualités respectives et se retrouvent sur le terrain du bon sens. Leur vie ne sera pas exaltante, mais ils sont fidèles et ont tous les atouts pour être heureux ensemble. La Vierge est dévouée et le Taureau apprécie sa simplicité, lui donnant en retour l'affection dont elle a secrètement besoin. La pudeur de la Vierge ne s'harmonise pas forcément avec les élans sensuels du Taureau, ce qui peut engendrer à long terme des sentiments de frustration et d'ennui. Mais le Taureau est peut-être le seul à pouvoir la dégeler, au coin du feu.

Couple célèbre : Roberto Rossellini (Taureau) et Ingrid Bergman (Vierge).

Vierge-Gémeaux

Ce couple est uni par la curiosité intellectuelle, mais celle-ci ne s'exprime pas de la même façon. Elle est virevoltante chez le Gémeaux, précise chez la Vierge. Le sens de l'humour et la complicité peuvent prendre fin si le Gémeaux devient trop girouette. La Vierge peut être choquée par le Gémeaux, lequel est étonné par cette attitude moralisatrice. Les tentatives de la Vierge d'analyser le comportement erratique de son partenaire tournent court et l'entente n'est pas garantie. La séduction des premiers instants peut vite s'évaporer, la Vierge étant assez méfiante et le Gémeaux ayant tendance au mensonge. Il y a beaucoup de non-dit dans cette union. La femme Gémeaux trouve chez l'homme Vierge une retenue dans les manifestations affectives qui ne lui déplaît pas. La femme Vierge, elle, a trop peur d'être déçue pour s'aventurer sans complexe sur le territoire de l'homme Gémeaux.

Vierge-Cancer

Un couple harmonieux, tout en douceur et en pudeur. Ces deux êtres aiment la vie tranquille à la maison. Entre eux, les disputes sont rares. Ils se complètent : la Vierge remet les pendules du Cancer à l'heure, et le Cancer nourrit la relation par son imaginaire et sa fantaisie. L'une est serviable, l'autre dévoué, et les deux sont fidèles, sensibles et pudiques. Toutefois, la sensualité du Cancer, son goût pour la conversation et son besoin irrépressible d'être rassuré affectivement sont loin d'être comblés par la Vierge, qui n'aime pas exprimer ses sentiments. Le Cancer risque de souffrir de cette froideur. Il y a pourtant une solide entente entre ces deux natures qui ont de bonnes chances de former un couple «pépère». La configuration optimale est la femme Cancer avec l'homme Vierge, chacun pouvant assumer le rôle qui lui convient le mieux : la femme Cancer prend en charge les affaires du quotidien qui ennuient l'homme Vierge, lequel lui exprime en retour un amour constant. Le couple femme Vierge-homme Cancer doit éviter la routine à tout prix, car si le duo fonctionne sans anicroche, l'homme Cancer a tout de même besoin de rêve. S'il en est privé, il peut se replier sur lui-même.

Vierge-Lion

Pas vraiment faits pour vivre ensemble, ces deux-là... Hormis une entente intellectuelle qui les met sur le même plan, la Vierge risque de perdre ses moyens devant le Lion dominateur. Leurs longueurs d'onde ne sont pas synchronisées, mais avec l'habitude, ils peuvent trouver des compromis pour rester ensemble. La Vierge apporte son dévouement au Lion narcissique en échange d'un souffle d'énergie revigorant. Mais attention : si la Vierge est trop pointilleuse et critique, elle risque d'irriter son partenaire. Sur le plan sexuel, ils ne sont pas sortis de l'auberge... Dans le couple femme Lion-homme Vierge, la susceptibilité de la femme Lion semble incompatible avec ce coupeur de cheveux en quatre, sauf s'il met de l'eau dans son vin. En revanche, la femme Vierge et l'homme Lion s'harmonisent plus facilement, à condition que celle-ci serve les desseins de son noble époux et apprenne à le caresser dans le sens du poil.

Couple célèbre : François Hollande (Lion) et Ségolène Royal (Vierge).

Vierge-Vierge

Tout se passe bien entre ces deux signes calmes et conciliants. Ils s'aident réciproquement et se comprennent très bien, surtout sur le plan matériel et pratique. Ces êtres fidèles sont de grands complices amoureux plutôt que deux amants passionnés. Leur association se révèle toujours constructive, fondée sur l'intellect. Mais attention : le revers de la médaille guette. Ces deux natures pointilleuses et inquiètes, tout à leurs petits problèmes, finissent parfois par mener une vie de routine et par se taper sur le système. Leur refuge est alors le silence, et l'ennui n'est pas loin... Sexuellement, l'entente l'emporte avec sa pudeur et son cortège de manies. En tout cas, l'homme protège la femme, qui peut parler avec lui de son jardin secret sans peur d'être trahie ou de se retrouver seule.

Vierge-Balance

Ces deux natures s'attirent et forment un couple équilibré et raisonné. Leur intelligence et leur capacité d'adaptation les rapprochent. Ils se plaisent et se complètent, la Balance apportant sa diplomatie et son charme, la Vierge son esprit clair et sa rationalité. Cependant, leur relation est avant tout intellectuelle. Au fond, ils ont un comportement très différent face à la vie, puisque la Vierge désire la tranquillité et que la Balance recherche les plaisirs de la vie en société. La Vierge a aussi du mal à exprimer ses sentiments, ce que la Balance, toute en émotions communicatives, ne comprend pas. Le couple femme Vierge et homme Balance résiste bien à la longue, les deux trouvant un terrain d'entente en matière de délicatesse. En revanche, les problèmes guettent le couple femme Balance-homme Vierge, en raison de la nature dépensière de la Balance, qui n'est pas sans inquiéter son économe compagnon.

Vierge-Scorpion

Tels des naturalistes analysant les espèces végétales et animales, ces deux êtres perspicaces communient parfaitement dans leur besoin d'observer leur environnement et d'échanger leurs impressions. Ils se plaisent, se jugent et s'enrichissent mutuellement. La Vierge ne se laisse pas dérouter par les tourments du Scorpion et ne lui tient pas grief de son agressivité. En contrepartie, le Scorpion amène dans l'union son énergie charnelle et de l'ambition pour deux. Mais cela ne suffit peut-être pas pour compenser l'incertitude de leur vie sexuelle. La pureté de la Vierge et le côté sulfureux du Scorpion créent un mélange paradoxal. La femme Scorpion n'assouvit pas tous ses fantasmes avec l'homme Vierge, trop passif à son goût. Quant à l'association femme Vierge-homme Scorpion, les deux se retrouvent sur le terrain de l'ambition, où la première pousse le second.

Vierge-Sagittaire

Ils n'arrivent pas à se rejoindre. Au mieux, le Sagittaire développe un instinct protecteur à l'égard de la timide Vierge, qui est rassurée par la confiance de son partenaire. Mais le dialogue n'arrive pas à s'instaurer entre ces deux signes anti-nomiques : la Vierge se focalise sur des détails, tendant vers l'infiniment petit, alors que le Sagittaire a un esprit de synthèse qui l'oriente vers la grandeur de l'infini. Quand le Sagittaire rêve de voyages et d'espaces lointains, la Vierge vante les mérites de son entourage. À moins qu'ils ne trouvent des compromis équilibrés, les deux resteront à des années-lumière l'un de l'autre. L'homme Sagittaire supportant très mal la critique, la femme Vierge devra calmer ce petit penchant pour que leur union soit harmonieuse. La femme Sagittaire et l'homme Vierge font meilleur ménage.

Vierge-Capricorne

Deux signes de Terre, avec la tête sur les épaules et du calcul à revendre. L'organisation ? Un point d'honneur pour ce duo qui passe son temps à programmer ses activités quotidiennes. Leur respect mutuel et la communion profonde de leurs pensées en font un couple inébranlable et sérieux. Leur vie est droite et leurs responsabilités mutuelles toujours concrètes. Mais leur goût du silence et leurs habitudes de célibataires n'arrangent pas leurs affaires sentimentales à long terme. Un conseil : il faut faire un petit effort sur le plan de la fantaisie. La femme Capricorne doit essayer de forcer sa nature pour encourager l'homme Vierge, qui en a bien besoin. De son côté, la femme Vierge risque d'être trop secrète pour l'homme Capricorne, qui ne rêve que de se sentir admiré. Sexuellement, rien de vraiment extravagant en vue, mais pas de contre-indications.

Vierge-Verseau

Une curiosité intellectuelle indéniable unit ce duo hétérogène. Ces deux natures s'attirent intellectuellement et leurs conversations infinies pimentent leurs longues soirées. Ils aiment tous deux le calme et ont du mal à faire le premier pas

en amour. Ce n'est pas surprenant puisque la Vierge est par
essence le signe des célibataires et que le Verseau fuit toute
attache contraignante. L'imagination et la fantaisie du
Verseau peuvent déconcerter la Vierge, plus schématique et
terre à terre. Celle-ci peut aussi être agacée par les atermoiements de son partenaire, qui ne lui donne pas la sécurité
affective dont elle a besoin. Le couple a plus de chances de
réussir lorsqu'il s'agit d'une Vierge « folle ».

Couple célèbre : Humphrey Bogart (Verseau) et Lauren Bacall
(Vierge).

Vierge-Poissons

Deux univers parallèles, deux vies intérieures foisonnantes
qui se complètent et s'unissent dans la tendresse. La Vierge
est attirée par le monde caché que laisse entrevoir le Poissons. En retour, elle lui donne les moyens de concrétiser et
de canaliser ses rêveries romanesques. Encore un exemple de
l'attirance des signes opposés du zodiaque. L'harmonie peut
se révéler totale si la Vierge évite de critiquer les points faibles
du susceptible Poissons et si ce dernier accepte de lui porter
plus d'attention. La femme Poissons attire irrésistiblement
l'homme Vierge, mais elle reste à jamais un mystère pour lui,
la communication dans le couple étant à sens unique. Quant
à la femme Vierge, elle peut être amusée par le côté rêveur
du Poissons, mais ne s'accommode pas de sa désorganisation
au quotidien.

BALANCE
Caractère amoureux en dix mots-clés :
Raffinée. Sociable. Dévouée. Sentimentale. Nonchalante.
Indulgente. Capricieuse. Coquette. Diplomate. Tendre.

L'homme Balance

Il ne supporte pas la solitude et s'épanouit en menant une vie sociale très animée. Idéaliste, il tombe facilement amoureux, mais n'est jamais sûr de rien... jusqu'à ce qu'on le quitte. Il donne l'impression d'être volage et insaisissable, mais c'est en réalité un grand sentimental qui a simplement du mal à se décider. Ce charmeur adore courtiser dans les règles de l'art, mais n'emprunte pas toujours le chemin le plus court. Par peur de blesser, il peut s'accommoder d'aventures où il remplace le véritable amour par une relation idéalisée, voire inventée de toutes pièces. Et quand cela se retourne contre lui, cela peut faire mal. Ludique, il recherche avant tout le beau et l'harmonie.

Sa compagne doit mener la barque, car si elle lui laisse le gouvernail, ils finiront à la dérive. Dans son vocabulaire, le mot «peut-être» prend toute sa saveur, et sa partenaire ne connaît jamais à l'avance la tournure que prendront les événements. En tout cas, le romantisme est assuré. Le mariage et toutes les décisions importantes du couple ne découleront jamais de son initiative, mais il est très facile à vivre. Il faut seulement lui accorder son espace de récréation et renforcer sa confiance en lui. C'est le mari idéal pour une femme décidée. Sexuellement, il a besoin d'un environnement douillet et raffiné où il peut laisser libre cours à sa tendresse et à ses jeux d'amour courtois.

Hommes célèbres: Michelangelo Antonioni, Philippe Noiret, Günter Grass, Marcello Mastroianni, Roger Hanin.

La femme Balance

Les hommes ne sont jamais indifférents à cette nature très féminine, capricieuse et paradoxale. Elle maîtrise les règles de la séduction et sait en tirer parti mine de rien. Son romantisme extrême ne transparaît qu'avec le temps, l'intimité et la confiance. Au premier abord, elle passe pour une aguicheuse qui, telle une gamine, se vexe lorsqu'on ne lui accorde pas assez d'attention. Elle peut d'ailleurs se montrer particulièrement mordante dans cette situation : d'un seul coup, elle peut passer de la sagesse à la provocation, de la tendresse à la rupture, de la passion au détachement le plus complet. En fonction du moment, elle s'improvise tantôt aventurière, tantôt conformiste.

Comme l'amour compte beaucoup dans sa vie, ses liaisons peuvent être multiples et intenses dans sa jeunesse, mais elle aspire au fond à de grandes envolées romantiques. Son partenaire n'a pas intérêt à la décevoir, sous peine de disparaître à jamais du carnet d'adresses de cette exigeante Vénusienne. Elle a besoin d'admirer pour donner sa pleine mesure affective et montrer quelle femme complète elle peut être. Cérébrale et passionnée, elle cultive le paradoxe sans accorder une place primordiale à la sexualité. Les paroles chuchotées dans le creux de son oreille l'excitent bien davantage que les effusions soudaines.

Femmes célèbres : Catherine Deneuve, Brigitte Bardot, Rita Hayworth.

LA BALANCE ET LES AUTRES SIGNES

Balance-Bélier

Comme deux aimants, ils s'attirent, et parfois se repoussent. Ce sont deux natures antagonistes, mais complémentaires. L'attraction et le rejet oscillent au gré des humeurs, mais la fascination mutuelle reste toujours présente. La Balance ne sait pas résister aux tentations, et cela tombe bien puisque le Bélier n'aime pas qu'on lui résiste. Diplomate et conciliante, la Balance canalise l'élan du Bélier et désamorce son penchant pour l'affrontement. Pour que l'union marche, le Bélier doit s'efforcer d'être plus tendre et la Balance doit faire preuve de détermination. L'association est plus favorable entre l'homme Bélier et la femme Balance, car la perception réciproque s'améliore au fil des jours. Cela semble être le nirvana sur le plan sexuel, les élans du Bélier révélant au grand jour les désirs de la Balance.

Couples célèbres : Simone Signoret (Bélier) et Yves Montand (Balance) ; Serge Gainsbourg (Bélier) et Brigitte Bardot (Balance).

Balance-Taureau

Il y a des malentendus dans l'air entre ces deux signes régis par Vénus. Malgré des goûts communs, ils abordent la vie de façon radicalement différente. Le Taureau préfère la chaleur tranquille du foyer et le plaisir des sens, tandis que la Balance, attirée davantage par l'esprit, ne peut se passer de vie sociale et de contacts humains. La routine du Taureau risque de lasser la Balance, mais ils se retrouvent sur le terrain de la tendresse. Sexuellement, ils doivent apprendre à dépasser leurs antagonismes, car le Taureau jouisseur peut choquer l'esthète Balance. Cependant, grâce à la finesse de la Balance et à l'affection du Taureau, l'amour est possible, surtout s'il s'agit d'un homme Taureau et d'une femme Balance. Dans le cas contraire, l'homme Balance risque de subir la possessivité de la femme Taureau.

Couple célèbre : Orson Welles (Taureau) et Rita Hayworth (Balance).

Balance-Gémeaux

Ces deux capricieux sont faits pour s'entendre. Ils s'aiment dans la bonne humeur et la légèreté, discutant des nuits entières et adorant tous deux la vie sociale. Intelligents et raffinés, charmeurs et instables, ils se comprennent parfaitement, mais leurs projets ont du mal à aboutir à cause des tergiversations de la Balance et de l'inconstance du Gémeaux. Ils forment un « joli couple », mais le romantisme secret de la

Balance pourrait souffrir de l'indifférence du Gémeaux, toujours en quête de nouvelles expériences. La femme Balance sait calmer l'homme Gémeaux, car elle ne se laisse pas facilement manipuler. La femme Gémeaux est séduite par l'homme Balance, mais elle peut abuser de sa gentillesse. Côté sexe, le plaisir est garanti grâce à l'imagination féconde des deux partenaires.

Balance-Cancer

Entre ces deux signes, la romance bat son plein. Réceptifs, sentimentaux et intuitifs, ils apprécient tous deux les moments de douceur et veulent une vie affective bien remplie. Pourtant, même s'ils s'attirent et semblent s'entendre, la Balance n'arrive pas à infléchir la détermination du Cancer, mal à l'aise devant les hésitations de la Balance. Ils ont du mal à se comprendre, car ils préfèrent tous deux se laisser guider, n'étant ni l'un ni l'autre des meneurs. Cela vaut pourtant la peine d'essayer, mais le résultat n'est pas garanti. Pour une vie agréable à la maison, la conjonction est bonne, mais le Cancer, trop possessif, finit souvent par faire fuir la Balance. La rencontre de l'homme Cancer et de la femme Balance offre d'excellentes perspectives amoureuses, puisque cette dernière n'en veut pas à son partenaire lorsqu'il fuit les responsabilités. En revanche, même si la femme Cancer plaît à l'homme Balance, celui-ci a de bonnes chances de s'ennuyer en sa compagnie et de devenir mélancolique.

Balance-Lion

Luxe et volupté entre ces êtres qui attirent les regards en société. Ce sont deux sentimentaux désireux d'établir des rapports harmonieux avec l'âme sœur. Ils se rencontrent en général dans les fêtes de leur vie sociale animée. L'homme Lion se sent fier de sa partenaire Balance, mondaine et féminine, qui l'aide à briller et à rehausser son éclat. Reconnaissant, il la couvre de cadeaux. La femme Balance, elle, est comblée par toute cette attention et sait amadouer avec diplomatie l'orgueil de son compagnon. Quant à la femme Lion et à l'homme Balance, ces deux romantiques doivent prendre garde à ne pas inverser leurs rôles respectifs : la femme Lion pourrait mener le ménage à la baguette sans rencontrer de résistance. Sur le plan sexuel, leurs nuits sont pleines de rebondissements fastueux.

Couple célèbre : Zelda (Lion) et Scott Fitzgerald (Balance).

Balance-Vierge

Ces deux natures s'attirent et forment un couple équilibré et raisonné. Leur intelligence et leur capacité d'adaptation les rapprochent. Ils se plaisent et se complètent, la Balance apportant sa diplomatie et son charme, la Vierge son esprit clair et sa rationalité. Cependant, leur relation est avant tout intellectuelle. Au fond, ils ont un comportement très différent face à la vie, puisque la Vierge désire la tranquillité et que la Balance recherche les plaisirs de la vie en société. La Vierge a aussi du mal à exprimer ses sentiments, ce que la Balance, toute en émotions communicatives, ne comprend pas. Le couple femme Vierge et homme Balance résiste bien à la longue, les deux trouvant un terrain d'entente en matière de délicatesse. En revanche, certains problèmes guettent le couple femme Balance-homme Vierge, en raison de la nature dépensière de la Balance, qui n'est pas sans inquiéter son économe compagnon.

Balance-Balance

Un duo bien synchronisé pour une vie de plaisirs mutuels, mais la fidélité n'est pas garantie. En surface, c'est l'amour parfait, romantique, une vie quotidienne marquée par les bouquets de fleurs et les cadeaux. Ces deux signes cherchent l'harmonie et la tendresse, mais comme ils mènent une vie sociale effrénée, ils risquent d'avoir un peu trop de monde autour d'eux... Les complications surviennent alors, et l'un des deux peut avoir le sentiment de manquer d'air. Attention toutefois à ne pas faire trop de concessions pour éviter de blesser l'autre ! Mais ce n'est pas facile de les séparer, car ils tiennent à leur couple à l'eau de rose. De plus, ils ne savent pas rompre aisément, l'homme Balance ayant de la difficulté à prendre des décisions et la femme Balance craignant les jugements d'autrui à la suite d'une éventuelle rupture. Sexuellement, le bien-être et les câlins sont assurés.

Couple célèbre : Catherine Deneuve et Marcello Mastroianni.

Balance-Scorpion

L'entente n'est pas jouée d'avance entre ces deux êtres qui s'attirent et se repoussent. Au premier abord, il existe une complicité d'esprit et un contact érotique certain, car ces deux signes se singularisent par une curiosité sans égale. Mais le Scorpion épingle le papillon Balance, le déstabilisant au moyen de critiques acérées et d'une possessivité déterminée. La douce Balance risque de jouer le jeu de la soumission et d'y laisser des plumes. On retrouve dans ce couple une thématique qui peut virer au sadomasochisme... Toutefois, si la femme Balance prend conscience de son pouvoir, elle peut très bien réussir à dompter l'homme Scorpion. Quant à l'homme Balance, c'est un des seuls à pouvoir apaiser les angoisses souterraines de la femme Scorpion.

Balance-Sagittaire

Un couple bien sympathique qui nourrit sans répit des projets de découvertes. Le magnétisme de ces deux signes s'harmonise, car ils partagent le goût du bonheur et de l'entraide. Ils forment un couple stable, animé par le respect mutuel et les bonnes intentions. Mi-bourgeois, mi-aventurier, ce duo enthousiaste ne manque jamais d'essence dans son moteur.

Sous des apparences charmeuses, la femme Balance a un fond de conformisme qui va de pair avec la tendance *«pater familias»* de l'homme Sagittaire et sa façon d'aimer passionnément. Mais attention aux caprices de la dame! Pour l'homme Balance et la femme Sagittaire, des jours heureux pointent à l'horizon après le premier impact, car l'allure un peu masculine de la femme Sagittaire trouble le féminin homme Balance.

Balance-Capricorne

Une attraction de nature intellectuelle au premier abord. L'amour peut s'instaurer entre eux, car la Balance apporte au Capricorne l'affection, la chaleur et l'insouciance qui lui manquent. En retour, le Capricorne fournit protection et stabilité à la Balance, parfois perdue dans ses hésitations. C'est d'ailleurs là que le bât blesse le plus souvent: les hésitations de la Balance peuvent tourner aux complications, ce que le Capricorne ne supporte pas bien longtemps. Son besoin d'être rassuré est un élément essentiel que la Balance doit prendre en compte. Sinon, elle risque que son partenaire Capricorne se renfrogne et que la relation devienne ennuyeuse. Le Capricorne, lui, doit comprendre que la sentimentale Balance n'aime pas être jugée. Meilleures sont les chances pour l'homme Balance et la femme Capricorne, qui se font beaucoup de confidences.

Couple célèbre: Roger Hanin (Balance) et Christine Gouze-Rénal (Capricorne).

Balance-Verseau

Un vent de bien-être souffle sur ce duo harmonieux et cérébral. Ces grands amis s'aiment de bon cœur et se retrouvent sur le plan des idées et des échanges. Ils prennent le même avion, mais la destination reste toujours en suspens: ils ont en effet du mal à prendre des décisions et surtout à s'y tenir. Sentimentalement, ils sont faits l'un pour l'autre, car la Balance respecte le désir d'évasion du Verseau et trouve au quotidien les compromis nécessaires à une vie sereine. Elle peut cependant être agacée par les étourderies de son partenaire Verseau, et se désoler de la façon timorée dont il appréhende le grand amour. Le Verseau trouve cependant en elle la partenaire idéale pour une amitié amoureuse.

Couples célèbres : Roger Vadim (Verseau) et Brigitte Bardot (Balance) ; Clark Gable (Verseau) et Carole Lombard (Balance).

Balance-Poissons

Une attirance affective certaine, mais ces deux natures ne se stimulent pas et ne se comprennent pas vraiment. Les équivoques et les quiproquos peuvent se multiplier et rendre la vie du couple compliquée. Ils ne semblent pas avoir les qualités requises pour voir clair dans le cœur l'un de l'autre, et leur vie risque d'être formée de deux bulles indépendantes vivant côte à côte. Par ailleurs, les sentiments ne font pas défaut à ces deux romanesques sensibles qui se comblent de gentillesses. La meilleure association est homme Poissons-femme Balance, car cette dernière respecte les penchants irrationnels et rêveurs de son compagnon. Dans le cas inverse, la femme Poissons, avec son exigence entêtante, mène la vie dure à l'homme Balance.

SCORPION

Caractère amoureux en dix mots-clés :
Véhément. Impulsif. Passionné. Jaloux. Habile. Insoumis. Railleur. Secret. Subtil. Ambitieux.

L'homme Scorpion

Charnel et charismatique, l'homme Scorpion est un séducteur-né. Il vit passionnément et ne fait pas dans la demi-mesure. Son besoin d'exaltation, son goût du risque et de la volupté le poussent à aller jusqu'au bout de ses aventures amoureuses. Envoûtant et instinctif, il attire les femmes comme un aimant, mais sait les garder à distance, car il a la tête froide et ne perd jamais le nord. Les déclarations d'amour ne sont pas son fort ; il souhaite qu'on le comprenne à demi-mot. Très individualiste, il oscille entre la quête de l'amour absolu et l'appel obscur de ses instincts charnels. Il veut dominer et peut facilement se laisser aller aux jeux de déchirements amoureux, car il a le mépris facile.

Sa partenaire doit être consciente de ce caractère paradoxal et agir en conséquence. L'homme Scorpion a besoin de l'admirer, de sentir qu'elle reste une femme aimante et désirable, mais indépendante. Sinon, il peut devenir cruel, voire misogyne. Il ne supporte aucune forme de trahison : sa compagne lui appartient. S'il se sent en confiance avec elle, il est un excellent moteur pour le couple, mais attention aux explosions en vol ! Sexuellement, sa réputation n'est plus à faire ; il adore les rapports de force sur les plans physique et cérébral. Aucune expérience des sens ne lui fait peur, mais la perversion le guette, ce qui n'est pas du goût de toutes les femmes... Gare aux dérapages !

Hommes célèbres : Alain Delon, Léos Carax, Louis Malle, Claude Lelouch, Coluche.

La femme Scorpion

Un halo de mystère plane sur cette femme énigmatique. Tourmentée, mais déterminée, elle se transforme sans cesse, passant d'un extrême à l'autre. Quand elle aime, elle peut renverser des montagnes pour faire avancer son couple. Sa fidélité est exemplaire et elle a de l'ambition pour deux. Mais ses instincts cachés sont puissants et la mènent souvent vers des situations de séduction ambiguës. Dans sa jeunesse, elle multiplie les découvertes érotiques, jouant de sa capacité d'éveiller le désir et de l'assouvir. Elle ne peut se passer des émotions intenses de la vie sexuelle. Son partenaire idéal doit avant tout la combler au lit, mais il doit aussi lui apporter force et apaisement. La femme Scorpion le met à l'épreuve continuellement, avec son insatisfaction chronique. S'il se montre suffisamment résistant, elle l'aimera à la vie à la mort et ne le laissera jamais tomber.

Possessive et jalouse, elle en inquiète plus d'un, ce qui ne fait qu'augmenter la tension érotique qu'elle dégage. Son compagnon doit accepter de passer par ses quatre volontés, sinon elle lui déclarera la guerre. C'est là un domaine où elle excelle, car elle sait détruire et s'autodétruire, et peut se complaire dans des drames sentimentaux. En tout cas, celui qu'elle aime n'oubliera jamais la femme la plus intense du zodiaque.

Femmes célèbres : Grace Kelly, Sophie Marceau, Florence Arthaud, Nadine Trintignant, Annie Girardot.

LE SCORPION ET LES AUTRES SIGNES

Scorpion-Bélier

On approche ici d'une zone à haute tension : sexualité débridée, jeux érotico-agressifs, passions souveraines... Les deux tempéraments se retrouvent sur le plan physique, mais cela ne va pas sans heurts psychologiques. Le Bélier, sous le charme du Scorpion, ressent une certaine inquiétude, ne sachant jamais jusqu'où l'imagination subtile de son partenaire pourrait l'entraîner. Des rapports de force latents dominent ce couple qui vit des expériences uniques, mais a probablement du mal à passer l'épreuve du temps. La femme Bélier, franche et directe, ne comprend pas toujours les détours empruntés par l'homme Scorpion. Dans le cas inverse, la femme Scorpion fascine l'homme Bélier, qui s'attache à elle de façon durable.

Scorpion-Taureau

Une grande fascination mutuelle existe entre ces deux signes. Ils se complètent sur tous les plans ou bien se repoussent avec violence. La persévérance est une qualité qu'ils partagent et leur relation explore ses propres limites jusqu'aux frontières les plus reculées. Le Taureau veut posséder pour mieux s'abandonner, le Scorpion souhaite être possédé pour mieux dominer. Ils peuvent donc fusionner, mais à leurs risques et périls. Le sexe sera primordial dans ce couple qui cherchera toujours la satisfaction totale, sans jamais l'atteindre. Les amours entre la femme Taureau et l'homme Scorpion risquent d'être tumultueuses.

Couples célèbres: Alain Delon (Scorpion) et Mireille Darc (Taureau); Christine Ockrent (Taureau) et Bernard Kouchner (Scorpion); Arielle Dombasle (Taureau) et Bernard-Henry Levy (Scorpion).

Scorpion-Gémeaux

Ils s'unissent par curiosité et forment un couple solide que seule l'autocritique peut détruire. Leur envie commune de découvrir emprunte des chemins différents: le Scorpion a besoin d'approfondir sa connaissance de la chair, alors que le Gémeaux déambule dans le dédale de l'esprit. Ils arrivent à se comprendre, car le Scorpion est direct et le Gémeaux y voit clair. Les risques et les aventures nouvelles ne les effraient pas, mais peuvent tourner au vinaigre si les partenaires jouent le jeu de la provocation mutuelle. L'homme Gémeaux n'est probablement pas assez charnel au goût de la femme Scorpion, mais leur vie de couple ne manque pas de piquant. La femme Gémeaux ne rate pas l'occasion d'aller découvrir les secrets de l'homme Scorpion, mais sa possessivité l'inquiète, et elle peut rapidement emprunter la sortie de secours.

Couple célèbre : le prince Rainier (Gémeaux) et Grace Kelly (Scorpion).

Scorpion-Cancer

Une union paradoxale, riche en émotions, en pensées secrètes et en intuitions. L'attirance physique et psychique est très forte entre ces deux signes. Leurs jeux amoureux peuvent tourner à des rapports de domination où le Cancer n'aurait pas forcément la part belle. Ces deux êtres se comprennent instinctivement et tentent de vivre en osmose même s'ils ont des visions différentes de la vie : le Cancer veut bâtir, le Scorpion est attiré par des jeux destructeurs. C'est le nirvana ou le désastre. La relative misogynie de l'homme Scorpion risque de perturber la femme Cancer, qui accepte néanmoins sa domination. Elle doit toutefois amener son partenaire vers des pensées positives. L'homme Cancer admire la force et l'activité de la femme Scorpion et calme ses angoisses, mais il ne réussit pas à chasser l'inquiétude qu'elle suscite en lui.

Couple célèbre : Lady Di (Cancer) et le prince Charles (Scorpion).

Scorpion-Lion

Voici deux animaux redoutables dans la hiérarchie de la jungle. Passionnés et séducteurs, ils unissent leurs couleurs sous la bannière de la force. Le Lion explose, le Scorpion implose. Ils se disputent la suprématie : noblesse et loyauté contre secrets et passions obscures. Une rencontre qui promet bien des plaisirs et scelle la destruction ou la puissance. Sexuellement, c'est l'entente parfaite, dans une intensité incomparable qui tourne très souvent à l'exhibitionnisme. L'homme Scorpion ne peut pas jouer à ses petits jeux de bourreau-victime avec la femme Lion, car c'est une femme de sa trempe, qui ne s'en laisse pas conter. Ce couple ne peut éviter les affrontements. En revanche, le couple homme Lion-femme Scorpion s'harmonise davantage, car la femme Scorpion admire son partenaire et se dévoue entièrement à lui.

Couple célèbre : Bill (Lion) et Hillary Clinton (Scorpion).

Scorpion-Vierge

Tels des naturalistes analysant les espèces végétales et animales, ces deux êtres perspicaces communient parfaitement dans leur besoin d'observer leur environnement et d'échanger leurs impressions. Ils se plaisent, se jugent et s'enrichissent mutuellement. La Vierge ne se laisse pas dérouter par les tourments du Scorpion et ne lui tient pas grief de son agressivité. En contrepartie, le Scorpion amène dans l'union son énergie charnelle et de l'ambition pour deux. Mais cela ne suffit peut-être pas pour compenser l'incertitude de leur vie sexuelle. La pureté de la Vierge et le côté sulfureux du Scorpion créent un mélange paradoxal. La femme Scorpion n'assouvit pas tous ses fantasmes avec l'homme Vierge, trop passif à son goût. Quant à l'association femme Vierge-homme Scorpion, les deux se retrouvent sur le terrain de l'ambition, où la première pousse le second.

Scorpion-Balance

L'entente n'est pas jouée d'avance entre ces deux êtres qui s'attirent et se repoussent. Au premier abord, il existe une complicité d'esprit et un contact érotique certain, car ces deux signes se singularisent par une curiosité sans égale. Mais le Scorpion épingle le papillon Balance, le déstabilisant au moyen de critiques acérées et d'une possessivité déterminée. La douce Balance risque de jouer le jeu de la soumission et d'y laisser des plumes. On retrouve dans ce couple une thématique qui peut virer au sadomasochisme... Toutefois, si la femme Balance prend conscience de son pouvoir, elle peut très bien réussir à dompter l'homme Scorpion. Quant à l'homme Balance, c'est un des seuls à pouvoir apaiser les angoisses souterraines de la femme Scorpion.

Scorpion-Scorpion

L'exaltation est au rendez-vous pour ce couple qui s'affronte passionnément. Ces êtres intenses se comprennent, deviennent des complices sexuels jusqu'à l'exagération. Leurs cœurs battent à l'unisson, avec la même méfiance latente, ce qui ne laisse évidemment pas présager une vie calme et sereine. La jalousie et la possessivité rendent leur relation animée, et celle-ci peut dégénérer à l'affrontement en règle. Leurs angoisses ne trouvent pas de havre de paix ; au contraire, elles s'exacerbent mutuellement. Mais les réconciliations sont aussi tonitruantes que les scènes de ménage. Ce couple mène une vie compliquée, et ses chances de survie au-delà de l'aventure érotique sont faibles, sauf si l'ascendant de l'un des deux apporte des éléments d'adoucissement.

Scorpion-Sagittaire

Le respect mutuel peut faire de ce couple un superbe tandem, si ces deux natures entreprenantes dépassent leurs incompréhensions initiales et leurs batailles d'idées. Le Scorpion peut rapidement être agacé par le côté moralisateur du Sagittaire qui, lui, ne saisit pas les tourments obscurs et la jalousie du Scorpion. Mais ils s'apportent beaucoup, car l'élan positif du Sagittaire améliore les tendances «négatives» du Scorpion, lequel consacre toute son énergie à l'accomplissement d'initiatives communes. L'homme Sagittaire, supportant mal les critiques et la suspicion de sa partenaire Scorpion, risque toutefois de casser la corde qui les relie. Cependant, les deux marient très bien leurs ambitions sociales. En revanche, l'homme Scorpion et la femme Sagittaire vont se découvrir avec ferveur, mais non sans heurts. Sexuellement, leur vie s'annonce riche en péripéties et en inventions.

Couple célèbre : Sophie Marceau (Scorpion) et Andrzej Zulawski (Sagittaire).

Scorpion-Capricorne

Ils peuvent s'unir ou se haïr. Ce qui les réunit ? Un goût profond du pouvoir, l'envie de réussir matériellement, le refus des compromis. Ensemble, ils peuvent échafauder des plans d'action, calculer les marges de manœuvre, créer en somme une union fondée sur l'ascension. Ce duo se complète malgré un rapport peu affectueux (l'amour guimauve ne fait pas partie du décor). Sexuellement, ils se retrouvent sur le terrain du désir physique assouvi franchement, sans excès de délicatesse. Sentimentalement, en revanche, le Capricorne n'exprime pas assez ses émotions au goût du Scorpion, qui pourrait bien aller voir ailleurs. La femme Scorpion et l'homme Capricorne peuvent conjuguer leurs ambitions s'ils arrivent à dépasser leur méfiance naturelle. La femme Capricorne, quant à elle, reste plutôt hermétique à l'aventure que lui propose l'homme Scorpion. Pour que le couple fonctionne, c'est elle qui devra prendre les rênes.

Scorpion-Verseau

La communication s'établit sans difficulté entre ces deux êtres qui ont en commun une grande curiosité. Intellectuellement, la symbiose opère : la lucidité du Scorpion s'harmonise avec l'intuition du Verseau. Les projets communs ne manquent pas. Ils s'estiment, mais la possessivité du Scorpion risque d'abréger leur idylle, car le Verseau refuse les liens trop serrés et fuit l'agressivité. Quant au Scorpion, il ne trouve pas forcément son compte en matière charnelle avec l'évanescent Verseau. L'homme Scorpion est irrésistiblement attiré par le charme insaisissable de la femme Verseau, qui risque même de lui en faire voir de toutes les couleurs. L'homme Verseau va parfois énerver sa partenaire Scorpion, qui le trouve trop distant, même s'il réussit à alléger ses angoisses.

Scorpion-Poissons

L'affinité des signes d'Eau réunit ces deux êtres intuitifs qui sont fascinés l'un par l'autre. Ils se comprennent au moindre signe, à la moindre suggestion, et savent décrypter leurs secrets respectifs et protéger leur couple des intrusions extérieures. La sensualité est l'un des éléments unificateurs de ce tandem qui n'est cependant pas à l'abri des trahisons. En effet, le Poissons résiste difficilement aux tentations et le Scorpion a tendance à provoquer les rapports douteux. Ils s'amusent ensemble, mais au fond, c'est chacun pour soi. Attention, la romantique femme Poissons peut devenir une proie de choix pour les jeux sadomasochistes de l'homme Scorpion. L'homme Poissons et la femme Scorpion s'associent plus facilement dans un rapport de complicité et de mystère.

Couple célèbre : Liz Taylor (Poissons) et Richard Burton (Scorpion).

SAGITTAIRE

Caractère amoureux en dix mots-clés :
Idéaliste. Généreux. Optimiste. Vaniteux. Loyal. Indépendant. Excessif. Amical. Susceptible. Clairvoyant.

L'homme Sagittaire

Un conquérant dans l'âme qui suit ses impulsions amoureuses et crée une atmosphère conviviale dans son couple. Il séduit par son allure chevaleresque, son enthousiasme et son investissement total dans l'aventure sentimentale. Il aime les plaisirs de la vie et sait renouveler les centres d'intérêt du couple au quotidien. Beau parleur, il sait choisir les mots qui charment, même si sa franchise joue parfois en sa défaveur. Mais il retourne toujours les situations à son avantage, car il a confiance en sa bonne étoile et communique son optimisme à sa partenaire.

Toutefois, celle-ci ne doit pas se hasarder à contester l'autorité du Sagittaire, qui supporte très mal la critique et peut se détacher brutalement. Sa compagne doit respecter son besoin de briller, surtout devant la gent féminine. Si elle le laisse s'exprimer, il lui donnera le meilleur de lui-même et sera loyal : c'est un homme de parole et un compagnon attentionné. Dans sa jeunesse, il multiplie les aventures, mais en vieillissant, il devient un époux exemplaire et un père parfait. Attention cependant au démon de midi, car l'inconnu exerce sur lui une fascination sans égale.

Sexuellement, son appétit est solide. Avec lui, pas de fausses promesses ni d'atermoiements : il sait ce qu'il veut et la plupart du temps il l'obtient. Il ne manque pas d'expérience ni de savoir-faire, ce qui ne l'empêche pas de respecter la délicatesse et la pudeur de sa partenaire.

Hommes célèbres : Woody Allen, Jean-Louis Trintignant, Alberto Moravia, Jean-Luc Godard, Guy Drut.

La femme Sagittaire

Son côté amazone éloigne parfois les hommes. Remplie de vitalité et d'optimisme, la femme Sagittaire comprend très bien l'univers masculin, ce qui en fait une partenaire très agréable à vivre. Ouverte et non inhibée, elle n'attend pas l'arrivée du prince charmant pour se lancer dans des aventures sentimentales. Elle n'a pas peur de provoquer la chance et est souvent récompensée. Son côté femme d'action indépendante la pousse dans les bras d'hommes plus fragiles, qu'elle protège et stimule. Mais cela n'est pas forcément garant d'une vie de couple solide et durable, car elle aurait plutôt besoin de vivre avec un compagnon aussi indépendant qu'elle. Franche et entière, elle ne se soumet pas facilement aux caprices des hommes, et son manque de patience peut lui jouer quelques tours.

Si elle trouve l'âme sœur, elle se révèle une compagne extraordinaire, idéaliste et motivante, car derrière son apparence solitaire se cache un cœur passionné et généreux. Côté sexe, elle n'aime pas tergiverser et va droit au but. Les sensations inédites l'attirent, et elle peut devenir aisément une «mangeuse d'hommes».

Femmes célèbres: Édith Piaf, Jane Birkin, Maria Callas, Jane Fonda.

LE SAGITTAIRE ET LES AUTRES SIGNES

Sagittaire-Bélier

Qu'est-ce qui unit ce couple apparemment en osmose? Un goût prononcé pour les découvertes et les voyages, un désir mutuel d'idéalisme, une grande générosité. Ces partenaires ont de grands projets et se donnent entièrement l'un à l'autre. Mais des embryons de rivalité pourraient venir ternir leur relation. Sur le plan sexuel, l'harmonie est de mise, car les deux signes ne s'embarrassent pas de préliminaires superflus. Il y aurait des idées d'adultère dans l'air qu'il ne faudrait pas s'étonner, car tous les deux ont grand besoin de nouveaux horizons. Le couple homme Bélier-femme Sagittaire est dirigé, mine de rien, par la femme, qui canalise l'énergie de l'homme dans le sens où elle l'entend. Pour la femme Bélier et l'homme Sagittaire, l'union équilibrée est au beau fixe, et l'homme sait assouvir les désirs exigeants de sa compagne.

Couple célèbre: Serge Gainsbourg (Bélier) et Jane Birkin (Sagittaire).

Sagittaire-Taureau

La compréhension ne va pas d'elle-même entre ces deux-là, mais ils ont en commun un grand amour de la vie. Le Taureau a ses habitudes, que le Sagittaire dérange en rêvant sans répit d'aventures, de voyages, de nouveaux horizons. Comme cela n'est pas dans les cordes du Taureau, il leur faudra surmonter beaucoup d'obstacles, mais le bonheur semble à leur portée. En amour, ils s'investissent tous deux à cent pour cent. Le Taureau apprend à sortir de sa réserve quand le Sagittaire met en sourdine sa soif de nouveauté. C'est un couple fidèle, où chacun reste sur sa longueur d'onde. Avec le temps, le Sagittaire s'apaisera et ils auront alors de belles journées devant eux. La femme Taureau se prête volontiers aux assauts de l'homme Sagittaire, mais leur susceptibilité commune donne lieu à des rancunes cachées qui explosent ponctuellement au grand jour.

Sagittaire-Gémeaux

La vie est une aventure permanente pour ces deux voyageurs qui avancent sur deux routes parallèles en se complétant idéalement. Enthousiastes et pionniers, ils ne manquent ni de projets ni de longues discussions. Parfois, ils ne font que se croiser, le Gémeaux étant absorbé par ses manèges et le Sagittaire étant tourné vers les grands espaces. La morale souple du Gémeaux gêne l'idéalisme et la fidélité du Sagittaire, mais ce duo se retrouve sur le terrain de la conquête. La femme Gémeaux et l'homme Sagittaire s'amusent beaucoup ensemble au début de leur union, car ils apprécient tous deux la vie sociale. Mais avec le temps, des divergences s'installent, et s'instaure alors un *modus vivendi* où chacun suit son chemin sans gêner l'autre. La femme Sagittaire n'a pas de prise sur l'homme Gémeaux.

Couple célèbre : Jacques (Sagittaire) et Bernadette Chirac (Gémeaux).

Sagittaire-Cancer

L'esprit voyageur du Sagittaire alimente le côté bohème du Cancer. Une association inhabituelle, mais prometteuse : ils rêvent tous deux, l'un d'amour, l'autre d'horizons nouveaux. S'ils arrivent à trouver un îlot commun, ils couleront des jours heureux. Le Cancer aura trouvé un aventurier donnant à ses rêves le parfum de la réalité, et le Sagittaire aura un partenaire sensible à prendre sous son aile. Leurs premières impressions mutuelles peuvent toutefois être trompeuses : le Sagittaire peut se révéler plus conventionnel que prévu et le Cancer moins désemparé qu'il ne le laisse croire au premier abord. Sexuellement, le Sagittaire risque de choquer le pudique Cancer. Attention aux réveils brutaux, quand les partenaires prendront enfin la mesure de leurs personnalités respectives. Les valeurs de la femme Cancer n'ont aucune prise sur l'homme Sagittaire qui, dans sa jeunesse, n'a que faire de la tranquillité. La femme Sagittaire, elle, séduit et entraîne l'homme Cancer, mais quand arrivent les moments critiques, leurs routes se séparent. Le Cancer rebrousse alors chemin et le Sagittaire va de l'avant. Une union qui peut fonctionner à l'âge mûr, lorsque le Sagittaire s'est calmé.

Sagittaire-Lion

Un des plus beaux couples du zodiaque. Ils sont tous deux chaleureux, enthousiastes et nobles d'esprit. Ils construisent avec franchise et honnêteté une vie marquée par la réussite. Ces deux signes de Feu, profondément complices, doivent seulement éviter d'entrer en compétition, car ils ont tendance à la vanité. Attention à la critique ! Aucune de ces deux natures fières ne passe l'éponge facilement. Le Lion boude et le Sagittaire rechigne à se soumettre, ce qu'il finit pourtant par accepter, captivé par les beaux yeux du Lion. L'idéal est l'association femme Lion-homme Sagittaire, car la femme Sagittaire est plutôt attirée dans sa jeunesse par des natures plus vagabondes.

Couples célèbres : Marcel Cerdan (Lion) et Édith Piaf (Sagittaire) ; Alberto Moravia (Sagittaire) et Elsa Morante (Lion).

Sagittaire-Vierge

Ils n'arrivent pas à se rejoindre. Au mieux, le Sagittaire développe un instinct protecteur à l'égard de la timide Vierge, qui est rassurée par la confiance de son partenaire. Mais le dialogue n'arrive pas à s'instaurer entre ces deux signes antinomiques : la Vierge se focalise sur des détails, tendant vers l'infiniment petit, alors que le Sagittaire a un esprit de synthèse qui l'oriente vers la grandeur de l'infini. Quand le Sagittaire rêve de voyages et d'espaces lointains, la Vierge vante les mérites de son entourage. À moins qu'ils ne trouvent des compromis équilibrés, les deux resteront à des années-lumière l'un de l'autre. L'homme Sagittaire supportant très mal la critique, la femme Vierge devra calmer ce petit penchant pour que leur union soit harmonieuse. La femme Sagittaire et l'homme Vierge font meilleur ménage.

Sagittaire-Balance

Un couple bien sympathique qui nourrit sans répit des projets de découvertes. Le magnétisme de ces deux signes s'harmonise, car ils partagent le goût du bonheur et de l'entraide. Ils forment un couple stable, animé par le respect mutuel et les bonnes intentions. Mi-bourgeois, mi-aventurier, ce duo enthousiaste ne manque jamais d'essence dans son moteur. Sous des apparences charmeuses, la femme Balance a un fond de conformisme qui va de pair avec la tendance *«pater familias»* de l'homme Sagittaire et sa façon d'aimer passionnément. Mais attention aux caprices de la dame ! Pour l'homme Balance et la femme Sagittaire, des jours heureux pointent à l'horizon après le premier impact, car l'allure un peu masculine de la femme Sagittaire trouble le féminin homme Balance.

Sagittaire-Scorpion

Le respect mutuel peut faire de ce couple un superbe tandem, si ces deux natures entreprenantes dépassent leurs incompréhensions initiales et leurs batailles d'idées. Le Scorpion peut rapidement être agacé par le côté moralisateur du Sagittaire qui, lui, ne saisit pas les tourments obscurs et la jalousie du Scorpion. Mais ils s'apportent beaucoup, car l'élan positif du Sagittaire améliore les tendances « négatives » du Scorpion, lequel consacre toute son énergie à l'accomplissement d'initiatives communes. L'homme Sagittaire, supportant mal les critiques et la suspicion de sa partenaire Scorpion, risque toutefois de casser la corde qui les relie. Cependant, les deux marient très bien leurs ambitions sociales. En revanche, l'homme Scorpion et la femme Sagittaire vont se découvrir avec ferveur, mais non sans heurts. Sexuellement, leur vie s'annonce riche en péripéties et en inventions.

Couple célèbre : Sophie Marceau (Scorpion) et Andrzej Zulawski (Sagittaire).

Sagittaire-Sagittaire

L'entente est au rendez-vous entre ces deux idéalistes pleins de bonne volonté. L'optimisme et la bonne humeur qui les caractérisent donnent à leur union une solidité à toute épreuve. Grâce à leur fidélité réciproque, à leur recherche de sentiments nobles, à leur respect d'autrui et à l'importance qu'ils accordent au dialogue, ces deux aventuriers ont toutes les chances de former un couple durable. Indépendants, ils se laissent respirer, mais se soutiennent sans faiblir quand le besoin s'en fait sentir. Ensemble, ils rêvent de grands voyages et de projets ambitieux, mais n'ont pas forcément la même vision de la mise en pratique de ces derniers : un Sagittaire aventurier du réel peut se retrouver avec un Sagittaire aventurier de l'esprit, ce qui pose des problèmes évidents. Par ailleurs, leur grande susceptibilité peut faire des étincelles et ils peuvent finir par être agacés de voir leur reflet protecteur dans le miroir. Sur le plan sexuel, ils multiplient les expériences insolites.

Sagittaire-Capricorne

Un duo idéal pour la réussite professionnelle et l'ascension sociale. Ils se complètent pour mener à bien des projets ; le Sagittaire apporte ses idées et son optimisme, le Capricorne sa rationalité et son sens pratique. Malheureusement, l'amour risque de passer au second plan. Sentimentalement, ils n'ont rien en commun, sinon une forte propension à respecter les traditions. Le Sagittaire est trop dynamique pour le Capricorne, qui a besoin de peser longuement le pour et le contre avant de se lancer dans une aventure. La méfiance instinctive du Capricorne agace le Sagittaire, qui croit en sa bonne étoile et apprécie les rapports fondés sur la confiance. Tous deux veulent être des chefs et ont du mal à se partager le pouvoir au sein du couple. C'est à l'âge mûr que ce couple fonctionne le mieux, sur des bases de grande compréhension. La femme Sagittaire sait apprécier l'allure volontaire de l'homme Capricorne, qui trouve en elle une excellente conseillère. L'association inverse vit des amours plus tumultueuses.

Couple célèbre : Frank Sinatra (Sagittaire) et Ava Gardner (Capricorne).

Sagittaire-Verseau

Ces deux aventuriers idéalistes, épris de liberté et d'espérance, sont unis par le sens de l'amitié et une grande générosité. Ils regardent tous deux vers l'avenir ; le Sagittaire rassure le Verseau, lui apportant un regain de confiance et canalisant ses contradictions. Le Verseau l'introduit en échange dans son univers d'émotions stimulantes et d'idées innovatrices. Ils respectent leur besoin mutuel d'indépendance, mais avec le temps, cela risque de les éloigner ou de transformer la relation en amitié. La femme Sagittaire protège spontanément l'homme Verseau et l'aide à approfondir son tempérament artistique. Toutefois, à la longue, le Verseau peut reprendre sa liberté s'il se sent trop commandé.

Couple célèbre : Woody Allen (Sagittaire) et Mia Farrow (Verseau).

Sagittaire-Poissons

Ces deux passionnés ont cependant des points de vue radicalement différents. Pris chacun dans son propre rêve, ils ne s'écoutent pas vraiment, se déconcertent facilement, mais s'en arrangent assez bien. La sensualité du Poissons éveille inexplicablement les émotions du Sagittaire, qui protège le Poissons et l'aide à matérialiser son désir d'infini. Pourtant, ils risquent de s'agacer au quotidien, car le Sagittaire trouve le Poissons trop lymphatique. Le Poissons, de son côté, préfère le mystère à la netteté du Sagittaire, dont il déplore en outre la tendance dominatrice. Pour le duo femme Poissons-homme Sagittaire, la relation est fondée sur le romanesque, mais l'indépendant Sagittaire a des difficultés à s'accommoder des exigences de sa partenaire. Dans le cas inverse, c'est plutôt l'homme Poissons qui a tendance à déstabiliser la femme Sagittaire.

CAPRICORNE
Caractère amoureux en dix mots-clés :
Stable. Prudent. Froid. Fidèle. Dominateur. Volontaire. Réservé. Endurant. Ambitieux. Routinier.

L'homme Capricorne

Le coup de foudre, il ne connaît pas ! Le Capricorne prend tout son temps avant d'entamer une relation amoureuse, et il est particulièrement lent à la détente. Sa froideur apparente ne signifie pas qu'il n'aime pas les femmes. Au contraire, il cache une grande tendresse qu'il n'exprime pas par peur de se faire repousser. Sélectif et ambitieux, il ne jette jamais son dévolu sur des femmes superficielles, écervelées. Il cherche une partenaire cérébrale qui a du répondant afin d'instaurer un rapport profond où la part de sexe a son importance, ses besoins physiques étant impérieux.

Après avoir dépassé ses premiers blocages, le Capricorne ne s'endort pas; il est envahi par la griserie du conquérant. Au lit, il se révèle infiniment plus ardent qu'on ne pourrait le penser au premier abord, car il sait concentrer son énergie et s'adonne à des marathons très techniques.

Côté cœur, il n'acquiert la maturité affective que tardivement. Sa partenaire doit le mettre en confiance, le rassurer, l'aider à se libérer des frustrations qu'il accumule à force d'être soupçonneux. Quand il tombe réellement amoureux, il devient un partenaire loyal, fidèle, stable et sérieux. Le mari parfait, surtout pour une femme qui manque de repères, mais celle-ci doit accepter ses penchants routiniers et son manque de tact. Si l'amour ne lui sourit pas spontanément, il reste facilement célibataire et peut se révéler ennuyeux à la longue. Dans la deuxième partie de sa vie, l'homme Capricorne se décontracte et devient un très bon compagnon pour les vieux jours.

Hommes célèbres: Gérard Depardieu, Federico Fellini, Muhammad Ali, Martin Luther King, Henry Miller.

La femme Capricorne
Derrière une façade impassible, un masque rigide et froid, se cache une femme patiente et digne de confiance. Volontaire, la Capricorne n'aime pas les complications et mêle souvent amour et ambition. Son jugement est sûr et elle ne fuit jamais devant les responsabilités. Dans sa jeunesse, elle éprouve des difficultés à mettre sa féminité en valeur, préférant souvent jouer à la femme de tête. Son indépendance la

pousse à ne compter que sur ses propres ressources et son choix amoureux n'est jamais dû au hasard. Cette maîtresse femme recherche un partenaire à sa hauteur, mais garde toujours ses distances, car elle ne veut pas se faire piéger par les sentiments. Inconsciemment, la femme Capricorne est assoiffée de tendresse et d'amour, mais ne l'admet jamais. Son partenaire doit éviter de la harceler de demandes affectives, de blesser sa susceptibilité et de la traiter avec légèreté. En effet, elle peut vite tourner casaque et quitter un homme qu'elle aime, tout en se persuadant qu'elle n'éprouve rien.

Cette femme compliquée, possessive et jalouse se forge souvent des amours lointaines, difficiles, pour éviter le contact quotidien avec toute forme d'autorité maritale. Le sexe l'attire, et elle préfère les élans simples et virils aux pulsions érotiques «tordues». Elle attend de son partenaire qu'il sache décrypter ses envies.

Femmes célèbres : Faye Dunaway, Simone de Beauvoir, Marlène Dietrich, Vanessa Paradis, Françoise Hardy.

LE CAPRICORNE ET LES AUTRES SIGNES

Capricorne-Bélier

Sexuellement, il ne leur est pas facile de trouver un terrain d'entente, car ils sont aux antipodes l'un de l'autre. La compréhension risque d'être difficile entre le Capricorne intimiste et le Bélier exhibitionniste. Prudent et patient, aimant les sentiments tranquilles, le Capricorne se sent bousculé par l'impulsivité du Bélier. Ils ont chacun une façon d'aimer radicalement différente, mais tombent généralement d'accord sur leur vision du monde. Avec l'âge, ce couple se rapproche, quand l'enthousiasme du Bélier s'est rassasié et que le Capricorne n'a plus peur de montrer sa soif d'affection. Si ces partenaires prennent le temps nécessaire pour se découvrir, leurs fantasmes réciproques y trouveront leur compte. L'association femme Bélier-homme Capricorne a les meilleures chances de durer.

Capricorne-Taureau

Plutôt que de succomber à la passion, ce duo fonde une entreprise commune basée sur une affection solide. Ces deux signes se comprennent et s'apprécient. La chaleur du Taureau redonne vie et confiance au Capricorne, qui met au service du couple sa rationalité et son esprit logique. Ces deux natures stables et fidèles prennent leur temps pour créer des liens profonds. Ils aiment leurs habitudes et se respectent l'un l'autre, mais la méfiance instinctive du Capricorne peut dérouter le Taureau, plus direct. Ils ne se perdent jamais de vue et forment un couple idéal à long terme. Sexuellement, c'est l'entente parfaite, où désir et tendresse fusionnent.

Couple célèbre : Jacques Dutronc (Taureau) et Françoise Hardy (Capricorne).

Capricorne-Gémeaux

Le Capricorne risque de perdre le nord et le Gémeaux de s'ennuyer royalement. Ils n'ont pas grand-chose en commun, si ce n'est un certain sens pratique. De plus, la magie du premier regard n'opère pas entre eux, bien au contraire... Le Capricorne n'est pas du genre à se faire ensorceler par un sourire charmeur et le Gémeaux se fatigue vite du sérieux du Capricorne. Pourtant, s'ils s'efforçaient de se connaître davantage, ils découvriraient sûrement des complémentarités précieuses : légèreté et pesanteur ne peuvent que s'équilibrer mutuellement. Les habitudes rassurantes de l'homme Capricorne sont bouleversées par les incessants changements d'humeur de la femme Gémeaux ; le couple ira de l'avant si l'homme joue le repère fixe. L'homme Gémeaux a de bonnes chances de déclencher l'hostilité de la femme Capricorne par ses bravades et sa désinvolture.

Couple célèbre : Jean-Paul Sartre (Gémeaux) et Simone de Beauvoir (Capricorne).

Capricorne-Cancer

C'est le jour et la nuit. Inévitablement unis par une alliance conventionnelle, ils se complètent idéalement. Le Capricorne, peu démonstratif, est soulagé par les marques de tendresse du Cancer, qui apprécie son honnêteté irréprochable et se sent protégé. La méfiance du Capricorne est désarmée par la sensibilité du Cancer, qui devine le manque affectif sous la froideur du Capricorne et s'ingénie à le combler. La rigidité du Capricorne ne trouve toutefois pas d'écho chez le Cancer, trop fantaisiste pour lui. À la longue, leurs différences pourraient émousser leurs sentiments amoureux, laissant place à une solide affection. C'est le couple classique et stable, si la femme est Cancer et l'homme Capricorne : la mère de famille et le travailleur qui assume les responsabilités. Au contraire, la femme Capricorne ne comprend pas l'homme Cancer qui, au lieu de se faire materner, se bute à la sécheresse de sa partenaire.

Capricorne-Lion

L'ambition unit ces êtres qui ont besoin de concrétiser leurs projets. Ils forment un duo solide où le respect joue un rôle primordial. Ils se retrouvent sur le plan de leur grande volonté commune et apprécient leurs visions mutuelles. Le Capricorne a de la suite dans les idées, le Lion pense à la gloire immédiate. Un couple qui fonctionne tant qu'il y a de l'action, mais à la longue, les reproches seront inévitables. Car l'attitude impétueuse du Lion énerve le Capricorne qui, par sa froideur, blesse le généreux Lion. La femme Lion et l'homme Capricorne ne se séduisent pas au premier abord en raison d'un manque de communication spontanée. Cependant, ils partagent des valeurs concrètes communes qu'ils apprécient au quotidien. La femme Capricorne, elle, n'est peut-être pas la compagne idéale du fier Lion, car elle ne supporte pas qu'on lui impose une façon de vivre.

Capricorne-Vierge

Deux signes de Terre, avec la tête sur les épaules et du calcul à revendre. L'organisation ? Un point d'honneur pour ce duo qui passe son temps à programmer ses activités quotidiennes. Leur respect mutuel et la communion profonde de leurs pensées en font un couple inébranlable et sérieux. Leur vie est droite et leurs responsabilités mutuelles toujours concrètes. Mais leur goût du silence et leurs habitudes de célibataires n'arrangent pas leurs affaires sentimentales à long terme. Un conseil : il faut faire un petit effort sur le plan de la fantaisie. La femme Capricorne doit essayer de forcer sa nature pour encourager l'homme Vierge, qui en a bien besoin. De son côté, la femme Vierge risque d'être trop secrète pour l'homme Capricorne, qui ne rêve que de se sentir admiré. Sexuellement, rien de vraiment extravagant en vue, mais pas de contre-indications.

Capricorne-Balance

Une attraction de nature intellectuelle au premier abord. L'amour peut s'instaurer entre eux, car la Balance apporte au Capricorne l'affection, la chaleur et l'insouciance qui lui manquent. En retour, le Capricorne fournit protection et stabilité à la Balance, parfois perdue dans ses hésitations. C'est d'ailleurs là que le bât blesse le plus souvent : les hésitations de la Balance peuvent tourner aux complications, ce que le Capricorne ne supporte pas bien longtemps. Son besoin d'être rassuré est un élément essentiel que la Balance doit prendre en compte. Sinon, elle risque que son partenaire Capricorne se renfrogne et que la relation devienne ennuyeuse. Le Capricorne, lui, doit comprendre que la sentimentale Balance n'aime pas être jugée. Meilleures sont les chances pour l'homme Balance et la femme Capricorne, qui se font beaucoup de confidences.

Couple célèbre: Roger Hanin (Balance) et Christine Gouze-Rénal (Capricorne).

Capricorne-Scorpion

Ils peuvent s'unir ou se haïr. Ce qui les réunit? Un goût profond du pouvoir, l'envie de réussir matériellement, le refus des compromis. Ensemble, ils peuvent échafauder des plans d'action, calculer les marges de manœuvre, créer en somme une union fondée sur l'ascension. Ce duo se complète malgré un rapport peu affectueux (l'amour guimauve ne fait pas partie du décor). Sexuellement, ils se retrouvent sur le terrain du désir physique assouvi franchement, sans excès de délicatesse. Sentimentalement, en revanche, le Capricorne n'exprime pas assez ses émotions au goût du Scorpion, qui pourrait bien aller voir ailleurs. La femme Scorpion et l'homme Capricorne peuvent conjuguer leurs ambitions s'ils arrivent à dépasser leur méfiance naturelle. La femme Capricorne, quant à elle, reste plutôt hermétique à l'aventure que lui propose l'homme Scorpion. Pour que le couple fonctionne, c'est elle qui devra prendre les rênes.

Capricorne-Sagittaire

Un duo idéal pour la réussite professionnelle et l'ascension sociale. Ils se complètent pour mener à bien des projets; le Sagittaire apporte ses idées et son optimisme, le Capricorne sa rationalité et son sens pratique. Malheureusement, l'amour risque de passer au second plan. Sentimentalement, ils n'ont rien en commun, sinon une forte propension à respecter les traditions. Le Sagittaire est trop dynamique pour le Capricorne, qui a besoin de peser longuement le pour et le contre avant de se lancer dans une aventure. La méfiance instinctive du Capricorne agace le Sagittaire, qui croit en sa bonne étoile et apprécie les rapports fondés sur la confiance. Tous deux veulent être des chefs et ont du mal à se partager le pouvoir au sein du couple. C'est à l'âge mûr que ce couple fonctionne le mieux, sur la base d'une grande compréhension. La femme Sagittaire sait apprécier l'allure volontaire de l'homme Capricorne, qui trouve en elle une excellente conseillère. L'association inverse vit des amours plus tumultueuses.

Couple célèbre : Frank Sinatra (Sagittaire) et Ava Gardner (Capricorne).

Capricorne-Capricorne

Une ambition commune et des sentiments profonds les unissent. Ils forment un couple constructeur et indestructible qui ne brille pas par ses capacités d'improvisation : les surprises et l'imagination ne sont pas de leur ressort. Toutefois, leur association est fondée sur une grande complicité amicale. Leurs amours restent sages et rassurantes, la logique l'emportant toujours sur le feu de la passion. Ils prennent plaisir aux grandes discussions ; c'est d'ailleurs sur ce point qu'ils peuvent se heurter. En cas de dispute, ils se renfrognent tous deux et tombent dans un lourd silence, dont ils sortent difficilement. Les déclarations d'amour n'appartiennent pas à leur quotidien. Sexuellement, ils prennent leur temps, mais ne s'aident pas à dépasser leurs inhibitions.

Capricorne-Verseau

Une relation amoureuse à prendre avec précaution. Ces deux êtres sincères se donnent beaucoup l'un à l'autre, mais la compréhension affective leur fait souvent défaut. Ils ont une volonté commune de se mettre au service d'autrui, et se retrouvent sur le terrain de l'amitié et des idées. Cependant, sur le plan amoureux, le Verseau désarçonne le Capricorne avec son sens inné de la liberté. Entre la méfiance du

Capricorne, plus réfléchi et conventionnel, et les chimères du Verseau, le fossé n'est pas facile à combler. Ils risquent de s'aimer de loin, à moins de créer une union où chacun œuvre dans son domaine de prédilection : le Capricorne prenant les grandes décisions, le Verseau apportant du renouveau. La femme Capricorne aime se rendre indispensable et est une bonne boussole pour les divagations de l'homme Verseau. En revanche, la femme Verseau ne trouve pas toujours en l'homme Capricorne le prince charmant dont elle rêve.

Capricorne-Poissons

Une bonne entente, née d'une complémentarité instinctive. Le Poissons se sent en sécurité avec le Capricorne, qui veut le protéger. Le premier est un grand rêveur opportuniste et le second un pragmatique qui cache sa soif de tendresse. En apparence, ils n'ont pas grand-chose en commun, mais au quotidien, ils comblent très bien leurs besoins respectifs. Ils sont tous deux capables de petites attentions et d'un grand dévouement. Cependant, le Poissons n'aime pas les préjugés, et la rigidité du Capricorne risque de lui donner envie d'aller nager ailleurs. Le duo femme Poissons-homme Capricorne fonctionnera si ce dernier renonce à ses défenses affectives.

Couple célèbre : Federico Fellini (Capricorne) et Giulietta Masina (Poissons).

VERSEAU

Caractère amoureux en dix mots-clés :

Bienveillant. Inquiet. Sincère. Idéaliste. Anticonformiste. Insaisissable. Amical. Versatile. Capricieux. Humaniste.

L'homme Verseau

Charmant, courtois, ouvert et tolérant, le Verseau connaît très bien le terrain de l'amour-amitié. Altruiste et curieux, il aime les contacts humains et est attiré par la nouveauté. Toutefois, sa timidité lui joue des mauvais tours quand une belle est dans les parages. Il peut demeurer longtemps au stade des amours impossibles ou des aventures sans lendemain. Il ne sait jamais très bien ce qu'il veut, mais respecte toujours la liberté de sa partenaire (une notion qui lui tient à cœur). Sa spécialité : l'union libre. Si sa compagne essaie de le mettre en cage, il s'enfuit aussitôt ou se réfugie dans un silence inaccessible.

Sa vie affective est souvent pleine de complications, d'incohérences et d'hésitations, sa relative naïveté n'arrangeant rien à l'affaire. Sa partenaire doit montrer une grande tolérance, car la nature bohème du Verseau peut être agaçante : il ne faut pas l'attendre aux rendez-vous, il a peut-être déjà oublié... Il ne faut surtout pas lui faire de reproches violents, car il ne comprend pas la jalousie et se sent mal à l'aise quand la passion déborde. C'est un compagnon attachant et sincère, en quête de complicité amoureuse et de paix intérieure. Sensuel et inventif, il a en réserve plus d'un tour sexuel dans son sac.

Hommes célèbres : Michel Serrault, Warren Beatty, James Dean, François Truffaut, Jacques Prévert.

La femme Verseau

Cette idéaliste rêve de l'amour fou, mais se perd souvent dans la confusion. Femme moderne et indépendante, elle attache une grande importance à l'égalité des sexes. Capable de donner beaucoup quand elle aime, elle a du mal à se fixer : plaire est un besoin vital pour elle, et sa fidélité reste douteuse. Ses rapports avec l'autre sexe sont tourmentés et complexes. Elle aime les histoires ambiguës, les flirts avec des hommes mariés, la frivolité des débuts. Avec la femme Verseau, tout est possible. Son partenaire doit bannir tout esprit de possession et rester à l'écart de ses excentricités, sans toutefois s'en formaliser. Il doit surtout témoigner une grande capacité de résistance à ses bavardages incessants.

Sans préjugés et libérale, elle se montre d'une grande souplesse dans les échanges affectifs. Son amour n'est jamais feint, mais gare aux revirements : elle peut admirer aussi vite que se lasser. Sexuellement, c'est une grande cérébrale jamais en panne d'idées. Elle aime les petits plaisirs coquins et parle beaucoup de ses anciens amants.

Femmes célèbres : Jeanne Moreau, Mia Farrow.

LE VERSEAU ET LES AUTRES SIGNES

Verseau-Bélier

Ce sont davantage de grands amis que de véritables amoureux. Complices, ils se rejoignent sur l'idée de la liberté : ils formeront peut-être un couple, mais ne se marieront probablement pas. Tournés vers l'avenir, ils avancent sans préjugés. Le Verseau ferme les yeux sur les infidélités du Bélier, lequel lui apporte la chaleur sentimentale qui lui manque. Un couple inhabituel, mais pourquoi pas ? Le Bélier doit mettre sa nature passionnée en sourdine s'il ne veut pas souffrir du manque d'intérêt du Verseau. La femme Verseau sait calmer l'agressivité de l'homme Bélier ; cette union peut durer si les deux rythmes parviennent à s'harmoniser. Quant à la femme Bélier, elle reste très éloignée des idéaux de l'homme Verseau et rage contre son absence de prise de responsabilités dans le couple.

Couple célèbre : Roger Vadim (Verseau) et Marie-Christine Barrault (Bélier).

Verseau-Taureau

Avec sa légèreté, son goût de l'innovation et son désir de liberté, le Verseau n'a pas grand-chose en commun avec le

Taureau, stable et possessif. Pourtant, ils peuvent se compléter pour réaliser des projets, le Taureau apportant son sens pratique aux idées avant-gardistes et à l'engagement social du Verseau. Si l'amitié est possible entre eux, l'amour est moins évident. Le Taureau risque de souffrir d'un manque charnel en compagnie du Verseau. La femme Taureau, exaspérée par la désinvolture de l'homme Verseau, pourrait piquer des colères et lancer des paroles blessantes. Son partenaire prendrait alors le large pour ne jamais plus revenir. Quant à l'homme Taureau, il risque de s'épuiser à vouloir faire taire la femme Verseau.

Verseau-Gémeaux

Un duo aérien au pays des merveilles... Une quête identique d'émotions et de stimulations intellectuelles les unit, les attire irrésistiblement l'un vers l'autre. Ces amoureux de la liberté partagent le goût de l'inhabituel et s'harmonisent pour devenir un couple qui s'adapte à l'évolution des sentiments. Sexuellement, les débuts sont ensommeillés ; toutefois, si le Gémeaux prend les rênes, le Verseau sortira de sa torpeur. La femme Gémeaux est une bonne compagne pour l'homme Verseau. Drôle et légère, elle le laisse vivre sa vie, s'épanouir dans ses idées. Cependant, elle risque d'abuser de sa naïveté. En revanche, la femme Verseau et l'homme Gémeaux sont ravis de se séduire dans un rapport cérébral fondé sur l'union libre.

Verseau-Cancer

Plutôt timides, naïfs et idéalistes, ces deux êtres délicats ont des relations plus amicales que charnelles. Ils sont complices et se rassurent en s'évadant ensemble sur le terrain de l'imaginaire. Le Verseau est attiré par les fines intuitions du Cancer qui, lui, apprécie l'inventivité de son partenaire. Ils sont sincères et s'apprécient, mais quand le Cancer prend des décisions, c'est pour la vie, alors que le Verseau ne sait jamais de quoi sera fait le lendemain. Le Cancer ne comprend pas le manque d'extériorisation affective du Verseau, qui se sent étouffé par l'amour du Cancer. Souvent, l'un des deux se sacrifie pour que le couple passe l'épreuve du temps. Sinon, l'amitié prend le dessus. L'homme Cancer et la femme Verseau forment un couple tolérant et rêveur, même si cette dernière est agacée par la tendance de son partenaire à vivre dans le passé. La femme Cancer peut entretenir des rapports complices avec l'homme Verseau, quand elle réussit à le chouchouter sans être trop possessive.

Verseau-Lion

Le Lion est centré sur lui-même, le Verseau est plus altruiste. Le Lion est pragmatique, le Verseau se perd dans sa bulle. Deux tempéraments aux antipodes, qui se fascinent tout en se repoussant. Le goût de liberté du Verseau en prendra un coup avec le Lion, qui veut tout superviser. L'amitié est probable entre eux; quant à l'amour, cela reste à voir. Un bon point, cependant, le Verseau ne fait jamais d'ombre au Lion, une qualité que ce dernier apprécie grandement. Bien qu'ils soient tous deux sentimentaux et idéalistes, la rigidité du Lion ne fait pas bon ménage avec l'évanescence du Verseau. Un couple déconcertant... La femme Lion et l'homme Verseau peuvent s'attirer au premier abord, mais ce dernier tend à fuir les directives de cette femme entreprenante. L'homme Lion vit quant à lui une aventure romantique avec la femme Verseau, qui le place sur un piédestal. Mais s'il trébuche, elle le méprisera et deviendra insaisissable, ce qui sonnera le glas de cette idylle passionnée.

Verseau-Vierge

Une curiosité intellectuelle indéniable unit ce duo hétérogène. Ces deux natures s'attirent intellectuellement et leurs conversations infinies pimentent leurs longues soirées. Ils aiment tous deux le calme et ont du mal à faire le premier pas en amour. Ce n'est pas surprenant puisque la Vierge est par essence le signe des célibataires et que le Verseau fuit toute attache contraignante. L'imagination et la fantaisie du Verseau peuvent déconcerter la Vierge, plus schématique et terre à terre. Celle-ci peut aussi être agacée par les atermoiements de son partenaire, qui ne lui donne pas la sécurité affective dont elle a besoin. Le couple a plus de chances de réussir lorsqu'il s'agit d'une Vierge « folle ».

Couple célèbre : Humphrey Bogart (Verseau) et Lauren Bacall (Vierge).

Verseau-Balance

Un vent de bien-être souffle sur ce duo harmonieux et cérébral. Ces grands amis s'aiment de bon cœur et se retrouvent sur le plan des idées et des échanges. Ils prennent le même avion, mais la destination reste toujours en suspens : ils ont en effet du mal à prendre des décisions et surtout à s'y tenir. Sentimentalement, ils sont faits l'un pour l'autre, car la Balance respecte le désir d'évasion du Verseau et trouve au quotidien les compromis nécessaires à une vie sereine. Elle peut cependant être agacée par les étourderies de son partenaire Verseau, et se désoler de la façon timorée dont il appréhende le couple et le grand amour. Le Verseau trouve cependant en elle la partenaire idéale pour une amitié amoureuse.

Couples célèbres : Roger Vadim (Verseau) et Brigitte Bardot (Balance) ; Clark Gable (Verseau) et Carole Lombard (Balance).

Verseau-Scorpion

La communication s'établit sans difficulté entre ces deux êtres qui ont en commun une grande curiosité. Sur le plan intellectuel, la symbiose opère : la lucidité du Scorpion s'harmonise avec l'intuition du Verseau. Les projets communs ne manquent pas. Ils s'estiment, mais la possessivité du Scorpion risque d'abréger leur idylle, car le Verseau refuse les liens trop serrés et fuit l'agressivité. Quant au Scorpion, il ne trouve pas forcément son compte en matière charnelle avec l'évanescent Verseau. L'homme Scorpion est irrésistiblement attiré par le charme insaisissable de la femme Verseau, qui risque même de lui en faire voir de toutes les couleurs. L'homme Verseau va parfois énerver sa partenaire Scorpion, qui le trouve trop distant, même s'il réussit à alléger ses angoisses.

Verseau-Sagittaire

Ces deux aventuriers idéalistes, épris de liberté et d'espérance, sont unis par le sens de l'amitié et une grande générosité. Ils regardent tous deux vers l'avenir ; le Sagittaire rassure le Verseau, lui apportant un regain de confiance et canalisant ses contradictions. Le Verseau l'introduit en échange dans son univers d'émotions stimulantes et d'idées innovatrices. Ils respectent leur besoin mutuel d'indépendance, mais avec le temps, cela risque de les éloigner ou de transformer la relation en amitié. La femme Sagittaire protège spontanément l'homme Verseau et l'aide à approfondir son tempérament artistique. Toutefois, à la longue, le Verseau peut reprendre sa liberté s'il se sent trop commandé.

Couple célèbre : Woody Allen (Sagittaire) et Mia Farrow (Verseau).

Verseau-Capricorne

Une relation amoureuse à prendre avec précaution. Ces deux êtres sincères se donnent beaucoup l'un à l'autre, mais la compréhension affective leur fait souvent défaut. Ils ont une volonté commune de se mettre au service d'autrui, et se retrouvent sur le terrain de l'amitié et des idées. Cependant, sur le plan amoureux, le Verseau désarçonne le Capricorne avec son sens inné de la liberté. Entre la méfiance du Capricorne, plus réfléchi et conventionnel, et les chimères du Verseau, le fossé n'est pas facile à combler. Ils risquent de s'aimer de loin, à moins de créer une union où chacun œuvre dans son domaine de prédilection : le Capricorne prenant les grandes décisions, le Verseau apportant du renouveau. La femme Capricorne aime se rendre indispensable et est une bonne boussole pour les divagations de l'homme Verseau. En revanche, la femme Verseau ne trouve pas toujours en l'homme Capricorne le prince charmant dont elle rêve.

Verseau-Verseau

C'est un beau roman, c'est une belle histoire d'amour... Voici une des rares configurations où cet être volage peut rester fidèle. Une synergie absolue dans une grande bulle complice. Généreux et dévoués l'un pour l'autre, ils évitent les disputes avec un art consommé et préfèrent improviser, en se projetant dans l'avenir. Ils ont peut-être des difficultés à l'allumage et peuvent rester au stade platonique, mais quand la vitesse de croisière est atteinte, ils se comprennent à la perfection. Chacun respecte l'espace vital et le jardin secret de l'autre, et ferme les yeux en cas de besoin. Au lit, la douceur règne, mais les stimulations réciproques tardent parfois à venir chez ces deux « cérébraux » qui préfèrent s'occuper de leurs petites affaires.

Verseau-Poissons

Une attraction instinctive et spirituelle unit ces deux humanistes pleins de bonnes intentions. Toutefois, cette union n'est pas forcément durable, car ils ont peine à se comprendre dans la vie quotidienne : l'affectivité du Poissons ne trouve pas de répondant chez le Verseau, qui ne manifeste pas facilement sa tendresse. En outre, la désinvolture de ce dernier et sa tendance à s'éclipser aux premiers signes de mélodrame désorientent le Poissons, qui a besoin de réconfort. Des incompréhensions irréversibles peuvent surgir. L'exigeante femme Poissons donne du fil à retordre au fuyant Verseau, mais elle peut arriver à ses fins en prenant le couple en main. En revanche, la femme Verseau et l'homme Poissons vivent une relation romanesque sur laquelle plane l'ombre de l'infidélité.

Couple célèbre: Paul Newman (Verseau) et Joanne Woodward (Poissons).

POISSONS
Caractère amoureux en dix mots-clés:
Imaginatif. Inconstant. Sensible. Inquiet. Rêveur. Idéaliste. Doux. Nostalgique. Indécis. Secret.

L'homme Poissons
Sensuel et charmeur, l'homme Poissons est caractérisé par une imagination débordante et une séduction mystérieuse qui attire souvent les femmes. De là à le retenir... Sa timidité apparente ne l'empêche pas de poser un regard admiratif sur toutes les jolies filles qui croisent sa route. Il est intuitif et sait comment s'y prendre pour séduire: il joue de sa sensibilité et de son charisme insaisissables, fait le confident, collectionne les amourettes secrètes. La fidélité n'est d'ailleurs pas son terrain de prédilection. Idéaliste et ambigu, il ne sait pas toujours ce qu'il veut, mais écoute ses instincts qui le poussent souvent à osciller entre désir de nouveauté et dérobade.

Quand il aime, il sort le grand jeu. Capable de combler sa compagne d'attentions touchantes, de tendres surprises, il est si émouvant que l'instinct maternel n'y résiste pas. Mais le Poissons, bien que doux et prévenant, est contradictoire: il peut reprendre aussi vite ce qu'il a donné. Si la situation ne tourne pas à son avantage, il peut devenir égoïste, voire relativement cruel.

Sa compagne doit avant tout le rassurer et le décharger des tâches de la vie quotidienne, car le Poissons ne se distingue pas par son sens de l'ordre et de la prise de décision. Au contraire, cet inquiet chronique excelle dans la temporisation et dans l'esquive. Aussi, sa partenaire ferait bien d'éviter de le pousser dans ses retranchements, car sa grande compassion cache souvent une agressivité tumultueuse. En cas d'union prolongée, il faut pourtant savoir que le Poissons fidèle est une denrée rare, car il a du mal à résister aux tentations. Côté sexe, c'est un adepte des fantasmes et des préliminaires érotiques, qui déteste les tabous.

Hommes célèbres : Luc Besson, Bertrand Blier, Boris Vian, John Steinbeck, Luis Buñuel.

La femme Poissons

Exigeante et très romanesque, la femme Poissons est féminine et réceptive. Elle a besoin de plaire et d'attirer l'attention, et ne supporte pas qu'on lui résiste. Elle cherche un amour total, exclusif. Cette quête l'entraîne souvent sur des chemins de traverse et sa vie affective peut prendre une tournure un brin compliquée. La femme Poissons sait comment s'enchevêtrer dans des histoires nébuleuses, et est du genre à téléphoner à son mari depuis le domicile de son amant... Elle veut tellement aimer qu'elle se perd parfois dans les méandres de liaisons multiples.

Pourtant, quand elle trouve l'homme qui la comble, elle se donne entièrement à lui et, sa grande sensibilité enfin apaisée, se love dans ses bras protecteurs. C'est l'une des plus grandes amoureuses du zodiaque ; elle veut encore plus aimer qu'être aimée. Mais attention, l'idéalisme et les rêves peuvent la mener vers des partenaires qui ne lui conviennent pas, ce qu'elle découvre parfois un peu tard. La femme Poissons en souffre un moment, puis sa grande énergie amoureuse reprend le dessus, et c'est parti pour une nouvelle aventure, comme si rien ne s'était passé. Sexuellement, elle est une partenaire très câline, sensuelle et vaguement masochiste.

Femmes célèbres : Ursula Andress, Liz Taylor, Isabelle Huppert, Ariane Mnouchkine, Giulietta Masina.

LE POISSONS ET LES AUTRES SIGNES

Poissons-Bélier

Deux univers parallèles qui ne se rejoignent pas souvent. Le Poissons est rêveur et romanesque, alors que le Bélier ne comprend pas ce type de sentiments superflus. L'un est sensible, l'autre susceptible, ce qui ne facilite pas les rapports amoureux. Il y a souvent de l'orage dans l'air entre ces deux partenaires, et leur vie sexuelle s'en ressent. Cependant, le Bélier peut rassurer et séduire le Poissons par son dynamisme, surtout dans la configuration femme Poissons-homme Bélier, même si le romantisme du Poissons n'est pas comblé. La femme Poissons doit veiller à ne pas submerger son homme Bélier de jérémiades affectives. L'effet apaisant de l'homme Poissons ne fonctionne pas à tous les coups avec la femme Bélier, charmée au premier abord, mais vite déroutée par le comportement énigmatique de cet homme fuyant.

Poissons-Taureau

Une alchimie favorable et difficilement explicable opère entre ces deux natures épicuriennes qui se complètent dans le domaine de la tendresse. Le Poissons attire le Taureau sans le brusquer, et ce dernier réussit à combler son besoin d'être rassuré. Ils tissent une relation étrange, toute en affection et sensualité. Tout va bien si le Poissons ne pose pas trop de devinettes amoureuses et s'il n'éveille pas les soupçons du Taureau. La conjonction homme Poissons-femme Taureau risque la dérive, car l'inconstance du Poissons et la jalousie du Taureau trouvent difficilement un terrain d'entente. La femme Poissons et l'homme Taureau se donnent des tonnes d'affection, et leur relation peut s'éterniser en dépit des regrets romanesques de la femme Poissons.

Poissons-Gémeaux

Des flirts et des embuscades sont au programme pour ce duo qui se dérobe et pratique la fuite en avant. Le Gémeaux, girouette en apparence, n'en est pas moins lucide. Quant au Poissons, bien qu'irrationnel, il maîtrise les mécanismes de l'intuition. Tous deux peuvent se comprendre tout en ne parlant pas le même langage, mais ils sont si insaisissables qu'ils ont du mal à se stabiliser. Le Gémeaux peut tourner en dérision l'émotivité du Poissons, lequel se tient instinctivement à distance. Le romantisme de la femme Poissons risque d'être déçu par le Gémeaux volage, même si l'érotisme y trouve son compte. L'homme Poissons trouve en la femme Gémeaux une compagne à sa hauteur pour les conquêtes extraconjugales, mais il finit par dévoiler son besoin d'affection et ne tient pas la dragée haute très longtemps à sa flirteuse partenaire.

Poissons-Cancer

La communication aquatique s'effectue ici par antennes sensorielles. Ils se reçoivent dix sur dix. Très intuitifs et affectueux, ils veulent rêver ensemble en oubliant leurs différences. En effet, le Poissons ne résiste pas toujours aux tentations et le Cancer s'accommode mal de cette morale flexible. Ils peuvent s'adorer quand ils se comprennent à demi-mot, mais s'agacer dans le quotidien, qu'ils ont du mal à affronter l'un et l'autre. Ayant tendance à la déprime, ils se soutiennent mutuellement, mais doivent faire attention à ne pas se laisser aller au blues, car ce serait le naufrage assuré. La femme

Cancer doit sortir ses meilleurs atouts pour éviter la fuite en catimini du Poissons. Leur relation est toute naturelle ; ils vivent une alchimie parfaite jusqu'au moment où la femme Cancer tente de connaître les véritables motivations de son partenaire, qui se refuse à les dévoiler. La meilleure association est le couple femme Poissons-homme Cancer. Ils vivent dans le rêve sans se poser de questions et les sentiments sont toujours au rendez-vous. Seule l'absence de prise de responsabilités peut malmener leur barque affective.

Poissons-Lion

Comment pourraient-ils se comprendre ? Ils aiment s'ébattre de deux manières radicalement différentes. Le Poissons aspire à devenir le prince de l'intimité, le Lion veut être le roi de la société. Le monde des secrets s'opposant aux planches du théâtre. Ils ne se disent jamais tout, car ils n'ont pas intérêt à sortir du romanesque, le seul fil qui les relie. Le Poissons peut quand même tirer une certaine force de la compagnie du Lion qui, de son côté, y gagne en sensibilité. Un duo réservé aux virtuoses. Le couple femme Lion-homme Poissons se construit sur des bases romanesques, mais à la longue, le goût du pouvoir de la femme Lion exaspère l'homme Poissons, qui s'enfuit à toute vitesse. Quant à la femme Poissons et à l'homme Lion, si entente il y a, ce sera sur le plan sexuel.

Poissons-Vierge

Deux univers parallèles, deux vies intérieures foisonnantes qui se complètent et s'unissent dans la tendresse. La Vierge est attirée par le monde caché que laisse entrevoir le Poissons. En retour, elle lui donne les moyens de concrétiser et de canaliser ses rêveries romanesques. Encore un exemple de l'attirance des signes opposés du zodiaque. L'harmonie peut se révéler totale si la Vierge évite de critiquer les points faibles du susceptible Poissons et si ce dernier accepte de lui porter plus d'attention. La femme Poissons attire irrésistiblement l'homme Vierge, mais elle reste à jamais un mystère pour lui, la communication dans le couple étant à sens unique. Quant à la femme Vierge, elle peut être amusée par le côté rêveur du Poissons, mais ne s'accommode pas de sa désorganisation au quotidien.

Poissons-Balance

Une attirance affective certaine, mais ces deux natures ne se stimulent pas et ne se comprennent pas vraiment. Les équivoques et les quiproquos peuvent se multiplier et rendre la vie du couple compliquée. Ils ne semblent pas avoir les qualités requises pour voir clair dans le cœur l'un de l'autre, et leur vie risque d'être formée de deux bulles indépendantes vivant côte à côte. Par ailleurs, les sentiments ne font pas défaut à ces deux romanesques sensibles qui se comblent de gentillesses. La meilleure association est homme Poissons-femme Balance, car cette dernière respecte les penchants irrationnels et rêveurs de son compagnon. Dans le cas inverse, la femme Poissons, avec son exigence entêtante, mène la vie dure à l'homme Balance.

Poissons-Scorpion

L'affinité des signes d'Eau réunit ces deux êtres intuitifs qui sont fascinés l'un par l'autre. Ils se comprennent au moindre signe, à la moindre suggestion, et savent décrypter leurs secrets respectifs et protéger leur couple des intrusions extérieures. La sensualité est l'un des éléments unificateurs de ce tandem qui n'est cependant pas à l'abri des trahisons. En effet, le Poissons résiste difficilement aux tentations et le Scorpion a tendance à provoquer les rapports douteux. Ils s'amusent ensemble, mais au fond, c'est chacun pour soi. Attention, la romantique femme Poissons peut devenir une proie de choix pour les jeux sadomasochistes de l'homme

Scorpion. L'homme Poissons et la femme Scorpion s'associent plus facilement dans un rapport de complicité et de mystère.

Couple célèbre: Liz Taylor (Poissons) et Richard Burton (Scorpion).

Poissons-Sagittaire

Ces deux passionnés ont cependant des points de vue radicalement différents. Pris chacun dans son propre rêve, ils ne s'écoutent pas vraiment, se déconcertent facilement, mais s'en arrangent assez bien. La sensualité du Poissons éveille inexplicablement les émotions du Sagittaire, qui protège le Poissons et l'aide à matérialiser son désir d'infini. Pourtant, ils risquent de s'agacer au quotidien, car le Sagittaire trouve le Poissons trop lymphatique. Le Poissons, de son côté, préfère le mystère à la netteté du Sagittaire, dont il déplore en outre la tendance dominatrice. Pour le duo femme Poissons-homme Sagittaire, la relation est fondée sur le romanesque, mais l'indépendant Sagittaire a des difficultés à s'accommoder des exigences de sa partenaire. Dans le cas inverse, c'est plutôt l'homme Poissons qui a tendance à déstabiliser la femme Sagittaire.

Poissons-Capricorne

Une bonne entente, née d'une complémentarité instinctive. Le Poissons se sent en sécurité avec le Capricorne, qui veut le protéger. Le premier est un grand rêveur opportuniste et le second un pragmatique qui cache sa soif de tendresse. En apparence, ils n'ont pas grand-chose en commun, mais au quotidien, ils comblent très bien leurs besoins respectifs. Ils sont tous deux capables de petites attentions et d'un grand dévouement. Cependant, le Poissons n'aime pas les préjugés, et la rigidité du Capricorne risque de lui donner envie d'aller nager ailleurs. Les exigences de la femme Poissons trouveront un écho favorable chez l'homme Capricorne, si celui-ci accepte de laisser tomber ses défenses affectives.

Couple célèbre : Federico Fellini (Capricorne) et Giulietta Masina (Poissons).

Poissons-Verseau

Une attraction instinctive et spirituelle unit ces deux humanistes pleins de bonnes intentions. Toutefois, cette union n'est pas forcément durable, car ils ont peine à se comprendre dans la vie quotidienne : l'affectivité du Poissons ne trouve pas de répondant chez le Verseau, qui ne manifeste pas facilement sa tendresse. En outre, la désinvolture de ce dernier et sa tendance à s'éclipser aux premiers signes de mélodrame désorientent le Poissons, qui a besoin de réconfort. Des incompréhensions irréversibles peuvent surgir. L'exigeante femme Poissons donne du fil à retordre au fuyant Verseau, mais elle peut arriver à ses fins en prenant le couple en main. En revanche, la femme Verseau et l'homme Poissons vivent une relation romanesque sur laquelle plane l'ombre de l'infidélité.

Couple célèbre : Paul Newman (Verseau) et Joanne Woodward (Poissons).

Poissons-Poissons

Ils évoluent dans un labyrinthe d'émotions impalpables, se comprennent parfaitement, se décodent d'un simple regard, se devinent amoureusement. Une immense tendresse unit ces deux êtres généreux qui prennent plaisir à projeter une image mystérieuse. En connaissance de cause, ils respectent le jardin secret de l'autre, et font de leur vie commune un havre d'imagination à mille lieues de la réalité quotidienne. La communication avec le reste du monde risque toutefois d'être compromise. Et si la femme Poissons s'en accommode très bien, il n'est pas sûr que son compagnon n'éprouve pas la curiosité d'aller fouiner ailleurs. Au lit, ils se noient sous les caresses et autres préliminaires sensuels, et adorent se livrer au jeu des devinettes amoureuses.

3

Le rôle des planètes
dans le jeu amoureux

L'astrologie traditionnelle nous enseigne que la formule magique pour une union idéale se trouve dans l'harmonie du Soleil, de la Lune, de Vénus et de Mars. Lorsque l'astrologue analyse les cartes du ciel d'un couple, il confronte toutes les informations et détermine les liens d'harmonie ou d'hostilité entre ces quatre planètes.

Les douze signes astrologiques portent le sceau du Soleil, qui dispense l'énergie vitale. Sans lui, rien n'est possible. C'est la source, le moteur de l'attraction entre deux êtres. Un couple se crée avant tout par la rencontre sereine ou houleuse de deux forces solaires, de deux façons d'envisager l'amour. Une conjonction entre deux forces solaires confirme l'existence de tempéraments compatibles et amicaux. Mais, à long terme, l'ennui peut s'installer.

Comme nous l'avons déjà souligné, l'étude de l'ascendant des partenaires reste indispensable pour comprendre comment ils utilisent leur énergie solaire. Deux signes en conflit de vitalité peuvent très bien, grâce à leurs ascendants, trouver les moyens d'aplanir leurs différends ou de les amplifier, de s'attirer doublement ou d'aller à hue et à dia.

Pour étudier avec le maximum d'exactitude les affinités astrologiques au sein d'un couple, il est donc indispensable de comparer les deux thèmes astraux, comprenant des lieux et heures de naissance précis. Un Bélier ascendant Scorpion a le même type d'énergie amoureuse qu'un Bélier ascendant Vierge, mais il n'agit pas du tout de la même manière.

LES ÉMOTIONS ET LA LUNE

On retrouve dans de nombreux couples la conjonction et les aspects favorables de la Lune avec le Soleil, la Lune ou l'ascendant du partenaire. Les travaux de Jung sur l'astrologie, le hasard et la synchronicité l'ont d'ailleurs démontré. La Lune parcourt l'ensemble du zodiaque très rapidement, en 28 jours. Le signe qu'elle occupe à la naissance définit la sensibilité amoureuse, la perception extrasensorielle et les attirances inconscientes. Dans la vie quotidienne, elle influence les changements d'humeur, les émotions instinctives, l'intimité affective.

Lune-Soleil

La rencontre et les aspects favorables de la Lune de l'un des partenaires avec le Soleil de l'autre annoncent une très bonne association amoureuse. Émotions et énergies vont de pair, et forment une base instinctive solide pour la vie du couple. C'est l'aspect idéal pour le mariage, tout particulièrement lorsque le Soleil de la femme entre en conjonction avec la Lune de l'homme.

Les aspects disharmoniques, eux, laissent présager une intégration délicate sur le plan sexuel : l'attirance est forte, mais les sentiments sont fort divergents. L'opposition Soleil-Lune donne souvent des situations émotionnelles conflictuelles, des séductions irrésistibles, mais d'une très grande instabilité.

Couples célèbres : opposition entre le Soleil en Poissons de Liz Taylor et la Lune en Vierge de Richard Burton ; conjonction en Poissons de la Lune de Paul Newman et du Soleil de Joanne Woodward.

Lune-Lune

La conjonction des Lunes des deux partenaires amoureux crée un rapport immédiat et très facile. Un regard, un geste leur suffisent pour se comprendre. Les sentiments se ressemblent et la communication intuitive est très forte. Dans le cas d'aspects bénéfiques (les Lunes respectives forment alors un trigone), la sympathie mutuelle est instantanée.

Au contraire, les aspects défavorables (opposition et carré) sont source de profondes incompréhensions, voire de sensations désagréables à dépasser avec humour. Les situations les plus compliquées sont celles où les Lunes s'opposent en Vierge et en Cancer, ou en Capricorne et en Poissons.

Couple célèbre: trigone parfait de la Lune en Balance de Françoise Hardy avec celle en Verseau de Jacques Dutronc.

Lune-Vénus

Quand les émotions et l'amour tissent une relation bénéfique, les cœurs battent à l'unisson. La conjonction est du type attrait magnétique et se remarque immédiatement par les rapports de tendresse instinctive qu'établissent les nouveaux partenaires. Ensemble, ils s'amusent beaucoup et leur relation baigne dans la sérénité. La rencontre favorable Lune-Vénus est l'un des indices les plus probants d'une union à long terme.

Les mauvais aspects (carré ou opposition entre la Lune et Vénus) ne sont pas bien méchants, mais la relation peut tourner au flirt ou à l'union libre. Il y a également risque d'infidélité et de soubresauts affectifs: un pas en avant, un pas en arrière...

Couple célèbre: trigone de la Vénus en Vierge de Catherine Deneuve avec la Lune en Taureau de Marcello Mastroianni.

Lune-Mars

La conjonction de ces deux planètes révèle l'importance de la sexualité du couple, dont l'évolution sert de baromètre pour la vie quotidienne : les désaccords se règlent ou naissent souvent au lit. La rencontre de la Lune de l'homme et de la planète Mars de la femme donne à l'homme la sensation du coup de foudre. Dans le cas inverse, la femme se débarrasse de toutes ses inhibitions sexuelles.

Quand la Lune et Mars forment des aspects favorables, cela dénote une excellente entente sexuelle. Si les aspects sont défavorables, on observe des heurts, des agacements réciproques, voire des pulsions violentes opposant la planète Mars de l'un et les émotions lunaires de l'autre.

Couple célèbre : conjonction en Vierge de la Lune de Serge Gainsbourg avec la planète Mars de Jane Birkin.

La position de la Lune dans l'un des douze signes apporte des précisions sur la façon dont la femme appréhende sa féminité et celle dont l'homme perçoit son idéal féminin.

Lune en Bélier

Pour la femme, cela indique une tendance au féminisme ; pour l'homme, cela dénote la quête inconsciente d'une partenaire dirigeant les opérations. En général, les instincts sont vifs, indisciplinés, sincères, mais sujets à des sautes d'humeur.

Célébrités : Isabelle Huppert, Alain Delon.

Lune en Taureau

Possessivité et sensualité sont très prononcées ; l'astre lunaire joue un rôle stabilisateur. La femme met en valeur toutes les qualités de son sexe, qu'il s'agisse de la recherche des plaisirs ou des tendances maternelles. L'homme cherche une compagne tranquille, une femme au foyer.

Le rôle des
planètes
dans le jeu
amoureux

Lune en Gémeaux

Indécision, vagabondage de l'esprit, tentations d'infidélité. La femme manifeste une grande nervosité et s'éparpille dans les caprices. L'homme rêve d'une partenaire fantasque qui le perçoive autrement que ce qu'il est réellement.

Célébrités : Brigitte Bardot, Yves Simon.

Lune en Cancer

Extrême émotivité, intuition profonde et besoin de protection. L'amour est ici en terrain très favorable, mais peut en rester au stade infantile ou se perdre dans des rêveries sans fin. La femme, très féminine, est à la fois mère et amante. L'homme, légèrement féminisé, veut fonder une famille.

Célébrité : Luc Besson.

Lune en Lion

Amours instables, ne craignant pas les qu'en-dira-t-on. Confiance innée qui peut friser l'arrogance, instincts en liberté. La femme agit avec autorité, aspire à l'admiration. L'idéal féminin de l'homme est une partenaire qui éblouit.

Célébrités : Catherine Deneuve, Jacques Dutronc.

Lune en Vierge

Prudence et retenue, inquiétude et analyse. Les émotions sont triées par la mémoire. Les instincts sont tenus en laisse ou refoulés, tout particulièrement chez la femme. L'homme cherche inconsciemment une partenaire chaste.

Célébrités : Serge Gainsbourg, Lionel Jospin.

Lune en Balance

Charme et désir de plaire, caprices et hésitations. Grande sensibilité à l'opinion d'autrui. Les émotions se contentent difficilement d'une seule union. La femme développe une grande sensibilité, sait user et abuser de toutes les armes du charme. L'homme, très doux pour ne pas dire un peu dévirilisé, a dans son imaginaire l'image d'une femme créant l'harmonie parfaite.

Célébrités : Isabelle Adjani, Barbara, Françoise Hardy.

Lune en Scorpion

Des émotions tourmentées, marquées du sceau de la fatalité. Impulsivité, orgueil, rancune, magnétisme et poids de la sensualité. La femme, mi-vénéneuse, mi-victime, joue de l'érotisme. L'homme cherche la compagne pouvant combler ses fantasmes sexuels agressifs, mais, en réalité, il a parfois peur des femmes.

Célébrité : Johnny Hallyday.

Lune en Sagittaire

Idéalisme sentimental qui veut marier le corps et l'esprit. Optimisme et désir d'indépendance, insouciance et intuition. La femme est une amazone, une chasseuse à l'allure un peu masculine, qui poursuit ses rêves jusqu'au bout. L'homme a un idéal féminin qui le porte vers les étrangères.

Lune en Capricorne

Sensibilité refroidie, austérité et sacrifice des sentiments au profit de l'ambition. Les émotions se manifestent très prudemment, jusqu'à rendre le sujet timoré. Chez la femme, les qualités féminines sont amoindries, refoulées. L'homme est en quête d'une femme à la tête froide. Le célibat est fréquent.

Célébrités : Jane Birkin, Florence Arthaud.

Le rôle des
planètes
dans le jeu
amoureux

Lune en Verseau

Indépendance et anticonformisme, les sentiments font ici
preuve d'une rare instabilité. La femme, d'une grande gentillesse, est totalement émancipée et excentrique, mais aussi
très nerveuse. L'homme s'imagine comblé dans une relation
d'union libre, d'aventure.

Célébrité : Jeanne Moreau.

Lune en Poissons

Émotivité intense, faible sens des responsabilités, douceur,
imagination et paresse. Possibilité de double vie. La femme
est excessivement romantique, mais a du mal à distinguer le
rêve de la réalité. L'homme est en quête d'une compagne avec
qui partager ses secrets, sa sensation de déséquilibre.

Célébrités : Rita Hayworth, Ségolène Royal.

LA SÉDUCTION ET VÉNUS

Présidant au romantisme et aux rencontres amoureuses,
Vénus est la planète de l'amour par excellence. Elle gouverne
les sentiments spontanés entre les individus sous l'angle d'un
échange positif, authentique et désintéressé. C'est le territoire
de la sensualité, du bonheur, de la joie de vivre. La position
de cette planète a une influence considérable sur l'attraction
des partenaires au sein d'un couple.

Vénus-Soleil

La conjonction du Soleil de l'un avec la planète Vénus de
l'autre est l'indice d'une osmose amoureuse de qualité. La
météo des sentiments du couple est au beau fixe, l'idéalisme
amoureux est au rendez-vous. Les liens se tissent en douceur
et en toute confiance, garantissant un long voyage lumineux
et voluptueux sur le fleuve Amour. Même dans le cas d'aspects
tendus, l'affection a toutes les chances de durer et de surmonter la tendance aux ruptures à répétition.

Couples célèbres: conjonction entre la planète Vénus de Sophie Marceau et le Soleil d'Andrzej Zulawski; conjonction parfaite en Capricorne du Soleil de Federico Fellini avec la planète Vénus de Giulietta Masina.

Vénus-Vénus

Les aspects bénéfiques de la rencontre de la planète Vénus des deux partenaires sont du ressort de la sympathie amoureuse. Les tensions sont étouffées dans l'œuf et l'affection mutuelle règne. La compréhension et la communication coulent de source et on s'octroie généreusement des plaisirs réciproques. Sous l'angle défavorable: l'opposition ou le carré des deux Vénus n'est pas rédhibitoire pour l'avenir du couple, mais indique des malentendus possibles et une jalousie à surveiller.

Vénus-Mars

L'étude de ces deux astres indique l'état de la relation sexuelle du couple, informe sur sa capacité à s'entendre. En conjonction, on note un magnétisme, une grande attirance physique et une harmonie parfaite entre les partenaires. Il s'agit en effet du traditionnel coup de foudre, d'une aventure intense où le désir et le plaisir n'entraînent pas nécessairement une union au long cours. Si les aspects sont défavorables (opposition, carré), l'intensité est également présente, mais les désirs des partenaires sont rarement synchronisés. L'impatience ou la frustration peuvent s'installer.

Couple célèbre: conjonction en Vierge de la planète Vénus de Catherine Deneuve avec la planète Mars de Marcello Mastroianni.

Vénus en Bélier

Tendance au coup de foudre; la pulsion l'emporte et entraîne souvent des liaisons multiples. Enthousiasme et spontanéité

Le rôle des
planètes
dans le jeu
amoureux

dominent, les sentiments sont entiers, les déceptions défini-
tives et les ruptures sèches.

Célébrités : Christine Ockrent, Luc Besson, Orson Welles,
Yves Simon.

Vénus en Taureau

Fidélité et stabilité amoureuse, recherche de la volupté, de
l'affection charnelle. La générosité et la gentillesse se dou-
blent du sentiment de propriété à l'égard de l'être aimé. Atta-
ches profondes, plaisir du corps, possessivité à surveiller.

Célébrités : Isabelle Huppert, Yannick Noah.

Vénus en Gémeaux

Flirt et curiosité insatiable conduisent fréquemment à l'infidélité ou à des amours de saison. Les sentiments restent en
retrait, le charme s'exprime dans le besoin permanent de
séduire.

Célébrités : Isabelle Adjani, Jean-Marie Le Clézio, Lionel
Jospin.

Vénus en Cancer

Romantisme et caprices, tendresse et rêveries. La quête de
l'âme sœur prend des sentiers sinueux, car l'inquiétude affective est innée et s'estompe difficilement. Angoisse en ce qui
concerne l'élu de son cœur et crainte de ne pas être assez
aimé. Grande importance de la famille.

Célébrités : Barbara, Éric Tabarly.

Vénus en Lion

Grand idéalisme amoureux. C'est la passion ou rien, le refus
brutal des relations quand les sentiments ne sont pas comblés. Volonté d'admirer et d'être admiré, désir secret de

Le rôle des
planètes
dans le jeu
amoureux

dominer le partenaire, tendance à la dramatisation, aux grandes scènes.

Célébrités : Lauren Bacall, Ségolène Royal, Johnny Hallyday.

Vénus en Vierge

Amour calme, raisonnable en apparence. Expression retenue des émotions, tendance à la communion d'esprit plutôt qu'aux démonstrations sentimentales. La critique facile de défauts mineurs n'améliore pas le quotidien amoureux. En sourdine, fantasmes à profusion.

Célébrités : Catherine Deneuve, Brigitte Bardot, Alain Delon.

Vénus en Balance

Un des facteurs les plus puissants du mariage. Besoin irrépressible de se sentir aimé, délicatesse de sentiments, douceur et recherche de l'association amoureuse qui peut pousser à des unions précipitées.

Célébrités : Rita Hayworth, Marcello Mastroianni.

Vénus en Scorpion

Passion et sexualité débridées. Fièvre amoureuse qui peut mener à tous les débordements : jalousie, perversité, crises de conscience... Magnétisme sexuel et grands besoins en cette matière, attirances brusques. Rage et volupté, amour-haine, sentiments violents.

Célébrités : Sophie Marceau, Bernard Kouchner, Philippe Noiret.

Vénus en Sagittaire

Liberté de cœur et optimisme sont ici indissociables de l'amour. Joie, confiance et idéalisme, sans aucun blocage si l'indépendance est préservée. Aventure sentimentale dans le

Le rôle des
planètes
dans le jeu
amoureux

respect d'une certaine éthique, attirance pour les conjoints sans rapport avec le milieu social ou le pays d'origine. Avec l'âge, désirs plus familiaux.

Célébrités : Jeanne Moreau, Florence Arthaud, Federico Fellini, Gérard Depardieu.

Vénus en Capricorne

Ne tombe pas facilement amoureux par peur de ses propres sentiments. Très sensible aux déceptions, peut se renfermer dans sa coquille, devenir calculateur. Amour excessivement profond et fidèle lorsqu'il s'installe.

Célébrité : Jane Birkin.

Vénus en Verseau

Sentiments retenus qui bouillonnent en sourdine. Détachement et non-conformisme dans l'expression amoureuse : soit la liberté l'emporte et l'union libre s'installe, soit le cœur reste au stade des amours platoniques et impossibles.

Célébrité : Michel Piccoli.

Vénus en Poissons

Sincère et romanesque, mais sous le joug d'une extrême émotivité. Don de soi et sacrifice pour l'être aimé, illusions amoureuses, aventures incompréhensibles, tendance à se mettre dans le rôle de la victime, à s'exposer à la trahison.

Célébrité : Serge Gainsbourg.

LA PASSION ET MARS

Mars reflète les désirs à l'état brut, la projection de soi dans un acte où le partenaire ne compte pas vraiment, la sexualité sous ses aspects les plus conquérants. Pour les côtés sombres, cette planète a un impact sur l'agressivité, la tyrannie des sens.

Le rôle des
planètes
dans le jeu
amoureux

Mars-Soleil

La conjonction des deux planètes donne au couple un surplus de stimulation, de dynamisme, de passion constructive. Dans ce couple, les partenaires peuvent compter sur leur soutien mutuel. Sexuellement, les désirs sont prononcés et s'expriment avec vigueur, les partenaires se recevant cinq sur cinq, sans secret l'un pour l'autre. En revanche, les aspects disharmoniques (opposition, carré) indiquent un trop-plein d'énergie et la possibilité d'un conflit au grand jour.

Mars-Mars

Si les deux planètes Mars du couple sont en conjonction, la situation a un potentiel explosif qui peut être exploité de façon créative ou agressive. La vie commune est riche en démarrages, en pulsions de toute sorte. Si ces deux forces s'harmonisent, le couple, redoutablement actif, montre une grande efficacité, et la vie sexuelle s'en trouve bonifiée. En cas d'aspects tendus, chacun règne sur son territoire et perçoit son partenaire comme un frein. Les rivalités sourdes dégénèrent en bataille rangée ou alors l'un des partenaires met l'autre à sa botte.

Mars dans l'un des douze signes du zodiaque indique comment se passe la conquête amoureuse. Il permet également de voir quel style d'homme attire physiquement la femme.

Mars en Bélier

Les besoins sexuels sont très importants et comblés précipitamment. Les désirs de conquête, souvent démesurés, s'assouvissent dans l'ardeur, voire la brutalité. La femme se laisse séduire par des hommes impulsifs, virils et audacieux.

Célébrités : Isabelle Huppert, Yannick Noah, Orson Welles.

Mars en Taureau

On note ici une grande ténacité. Les appétits sensuels sont gourmands, plus physiques que sentimentaux. Le charme et la capacité de prendre tout le temps nécessaire à la conquête sont des atouts indéniables. La passion vire à la possession et aux colères dévastatrices. La femme subit l'attraction de la force physique et de l'argent.

Célébrité : Barbara.

Mars en Gémeaux

Les pulsions et les conquêtes se renouvellent très rapidement, aiguisées par la curiosité et la mobilité. Séduction par les jeux de l'esprit, avec une tendance à l'ironie pour provoquer. La femme tombe sous le charme des beaux parleurs.

Célébrités : Catherine Deneuve, Luc Besson, Jean-Marie Le Clézio.

Mars en Cancer

Attitude passive et capricieuse, tendance à se laisser conquérir ou à attendre que les amours platoniques aboutissent. Douceur et stabilité, sensualité imaginative réservée à l'alcôve, manque d'agressivité. La femme est attirée par les hommes nonchalants, impressionnables et délicats.

Célébrités : Yves Simon, Philippe Noiret.

Mars en Lion

Tempérament passionné et colérique, attitude conquérante et volontaire. Les désirs sont puissants et audacieux, portés vers l'aventure, mais dissimulés derrière une façade de contrôle de soi. La tendance au mélodrame alimente une vie affective égoïste. La femme se laisse séduire par les hommes ambitieux qui rugissent plus fort qu'elle.

Célébrité : Brigitte Bardot.

Mars en Vierge

Conquêtes stratégiques, très méticuleuses. D'un abord timide, patient et délicat. La tactique amoureuse est cérébrale et les pulsions sont inhibées, mais derrière cette façade couve une grande agressivité sexuelle nourrie de fantasmes multiples. La femme subit l'attraction des hommes réservés et ingénieux.

Célébrités : Jane Birkin, Sophie Marceau, Jacques Chirac, Marcello Mastroianni.

Mars en Balance

Charme, tendresse et persuasion dans la séduction. Désirs instables oscillant entre passion et indolence, tendance à tomber amoureux sans arrêt et à être facilement déçu. Agressivité sexuelle inexistante. La femme est attirée par les hommes qui lui font gentiment la cour et qui la couvrent d'attentions délicates.

Célébrité : Florence Arthaud.

Mars en Scorpion

Passion secrète, dévorante et implacable. Conquête par tous les moyens, désirs de possession totale. Domination et pulsions sexuelles impérieuses. Grande force émotive. La femme tombe sous le charme des hommes qui la regardent comme une proie de choix.

Célébrités : Michel Piccoli, Lionel Jospin.

Mars en Sagittaire

Conquête rapide, extravagante, dans l'enthousiasme du moment. La fougue et l'élan sensoriel sont attisés par la perspective de relever un défi. Une fois l'union consommée dans l'intensité, les désirs se reportent ailleurs. La femme

Le rôle des
planètes
dans le jeu
amoureux

subit l'attraction des hommes optimistes et idéalistes qui l'emportent comme une place forte.

Célébrités : Rita Hayworth, François Mitterrand.

Mars en Capricorne

Patience et sélectivité caractérisent les désirs qui peuvent rester longtemps dans l'ombre. Approche très calculatrice. Mais une fois la conquête réussie, autorité, froideur et possessivité. La femme rêve d'un homme solide et ambitieux qui la séduise petit à petit.

Célébrités : Jeanne Moreau, Gérard Depardieu, Alain Delon.

Mars en Verseau

Imprévisibilité et conflits émotionnels. Passivité et refoulement des pulsions physiques qui cadrent mal avec un fort penchant idéaliste. Inventif, il gagne l'estime d'autrui sans même s'en rendre compte. La femme a un idéal masculin anticonformiste et libéral.

Célébrités : Lauren Bacall, Serge Gainsbourg, Bernard Kouchner.

Mars en Poissons

Grand sentimental, prêt à aimer n'importe qui. Conquêtes secrètes en tout genre, platoniques ou charnelles. Désirs confus, turbulents. Versatilité et intuition, tendance à suivre le courant. La femme recherche un homme vulnérable, un amoureux transi.

LES PLANÈTES SECONDAIRES DE L'AMOUR

Mercure indique le mode de communication. Sa position met en valeur les possibilités d'échanges intellectuels au sein d'un couple. Si la planète Mercure de l'homme et celle de la femme sont en conjonction, le dialogue s'engage facilement et les

**Le rôle des
planètes
dans le jeu
amoureux**

incompréhensions trouvent toujours une solution dans la discussion. En revanche, lorsqu'elles s'opposent, les points de vue divergent et il n'est pas rare que l'un des partenaires refuse la façon de voir de l'autre.

Avec le Soleil, la Lune et Vénus, la conjonction et les aspects bénéfiques de Mercure ont un impact favorable sur l'entente relationnelle : les partenaires acceptent des conseils l'un de l'autre, évoluent dans la tolérance, le respect mutuel.

Couples célèbres : conjonction de la planète Mercure de Sophie Marceau et du Soleil d'Andrzej Zulawski ; conjonction de la planète Mercure de Marcello Mastroianni avec la planète Vénus de Catherine Deneuve ; trigone de la planète Mercure de Françoise Hardy avec le Soleil de Jacques Dutronc ainsi que de la planète Mercure de Jacques Dutronc avec le Soleil de Françoise Hardy ; trigone de la planète Mercure Sagittaire de Jane Birkin avec le Soleil Bélier de Serge Gainsbourg.

Les aspects disharmoniques (opposition, carré) sont l'indice de rapports intolérants, de désaccords mineurs dans la manière d'appréhender la vie.

La rencontre de Mercure et de Mars peut avoir des conséquences beaucoup plus destructrices : bataille d'idées constructive, mais excessive (conjonction), critiques tous azimuts et refus de donner raison à l'autre (opposition, carré).

Jupiter, Saturne, Uranus, Neptune et Pluton sont des planètes lentes, les trois dernières n'intervenant qu'à titre d'aspects «de génération». Leur influence sur la rencontre amoureuse n'est pas déterminante, mais certains éléments méritent une attention particulière.

Jupiter

La planète de l'expansion fait le tour du zodiaque en douze ans. La conjonction et les aspects favorables de la planète Jupiter de l'un des partenaires avec le Soleil, la Lune ou les planètes Vénus ou Mars de son conjoint donnent au couple

Le rôle des
planètes
dans le jeu
amoureux

des chances de longévité supplémentaires. L'union se fonde sur l'optimisme et la capacité de s'améliorer dans un climat de confiance. Les aspects défavorables laissent présager que l'un des conjoints aura tendance à profiter du travail de l'autre.

Saturne

Cette planète réputée maléfique met plus de 28 années à traverser le zodiaque. Elle incarne la stabilité sous son double visage : profondeur et inertie. Les aspects disharmoniques de la planète Saturne de l'un avec le Soleil, la Lune ou les planètes Vénus ou Mars de son partenaire réduisent les chances du couple. En effet, froideur, incompréhension, blocages émotionnels et tensions souterraines sont alors au rendez-vous. Source d'incompatibilité, les aspects tendus de Saturne accentuent les frustrations et prédisposent, dans le meilleur des cas, au sacrifice du bien-être de l'un des deux partenaires.

La conjonction et les aspects favorables fonctionnent surtout comme des indices de la durée possible du couple. La rencontre du Soleil et de Saturne ou de Saturne et de Mercure indique un couple au long cours, dont les relations vont s'approfondir au fil du temps, même si l'enthousiasme risque de s'estomper au profit d'un solide partage des responsabilités.

En revanche, les conjonctions Lune-Saturne et Vénus-Saturne n'augurent rien de bon, car les inhibitions de l'un freinent les élans de l'autre.

Uranus

Première planète du trio dit «de génération», Uranus exprime des changements extrêmes, une tension à son paroxysme. En rapport favorable ou non avec la planète Mars de l'autre, c'est le conflit assuré, les mauvaises surprises, le harcèlement perpétuel. Avec le Soleil et la Lune, de grandes incompréhensions surgissent et les querelles peuvent supplanter une certaine fascination. La liberté mutuelle est alors la seule échappatoire possible pour la survie d'un tel couple, où il y a de l'électricité dans l'air. La conjonction Uranus-Vénus ouvre les portes du tumulte, de l'aventure sexuelle éphémère. L'opposition signe le même type de relations passionnelles, mais la rupture attend au tournant.

Neptune

Au royaume de l'irrationnel, du trouble et de la fascination, cette planète nébuleuse suscite des attractions énigmatiques, des illusions et des trahisons. En aspect favorable avec Vénus et la Lune, Neptune fait baigner le couple dans une atmosphère de tendresse et de séduction mutuelle mystérieuse, de rêve éveillé et d'idéalisme. Sous l'angle négatif, en particulier avec Mars, cette planète entraîne des situations confuses.

Pluton

Le maître des pulsions inconscientes les plus sombres exerce son influence sur l'attraction sexuelle. La rencontre de la planète Pluton de l'un avec le Soleil, la Lune ou la planète Vénus de l'autre exacerbe l'attirance physique, lui conférant une force inhabituelle. En opposition, cela peut tourner au rapport de force. Avec Mars, Pluton crée une rencontre explosive, presque trop magnétique, dont l'agressivité peut très vite basculer dans la violence.

CHAPITRE 4

Les maisons de l'amour et de l'union

À partir de l'ascendant, le thème astral d'un individu est divisé en douze maisons qui représentent les champs d'expérience où les énergies des planètes s'expriment. En ce qui concerne les relations amoureuses, deux maisons retiennent l'attention de l'astrologue : la maison 5 et la maison 7.

LA MAISON 5

Elle se rapporte aux expériences affectives, aux liaisons amoureuses, à l'extériorisation des sentiments. C'est le secteur de la recherche du plaisir individuel. La présence de l'une ou l'autre des planètes dans cette maison donne des indices sur le déroulement des rencontres, sur la séduction de l'instant.

Soleil en maison 5 : puissante motivation amoureuse, vie riche en aventures émotionnelles, pouvoir de séduction inné.

Lune en 5 : instabilité affective, liaisons nombreuses, passion dominante.

Mercure en 5 : flirt habile sur le mode intellectuel et amical, séduction dans les règles, conformisme.

Vénus en 5 : chance en amour, besoin irrésistible de séduire et de lire l'amour dans le regard d'autrui, penchant jaloux.

**Les maisons
de l'amour
et de l'union**

Mars en 5 : grande force des désirs, prise de risques amoureux, passion excessive, disputes et tourments.

Jupiter en 5 : expansion grâce aux amours, le partenaire étant souvent un moyen d'atteindre le confort personnel.

Saturne en 5 : spontanéité affective réduite et peur de se lancer ou, au contraire, avidité sexuelle désespérée.

Uranus en 5 : liaisons très libérales, situations sentimentales compliquées, ruptures brusques.

Neptune en 5 : expériences amoureuses abracadabrantes et romanesques, illusions, voire trahisons.

Pluton en 5 : passions hors norme, liaisons secrètes et dangereuses.

LA MAISON 7

On la considère traditionnellement comme la maison du mariage. Elle englobe l'échange, l'association amoureuse stabilisée et les conditions pour y parvenir. Le signe du zodiaque où se positionne la maison 7 est assez fréquemment celui du partenaire, et les planètes qui y gravitent montrent de quelle manière l'union est vécue.

Soleil en maison 7 : union grandement favorisée, source d'un intense développement personnel.

Lune en 7 : pour l'homme, couple dirigé par la femme à laquelle il est très attaché ; pour la femme, couple où le partenaire est passif. Instabilité possible de l'union.

Mercure en 7 : association sentimentale fondée sur la communion d'idées ou, dans le cas de partenaires jeunes, sur l'attirance physique.

Vénus en 7 : mariage d'amour et relations idylliques ; tendance à étouffer le partenaire.

Mars en 7 : initiative et précipitation dans le choix du partenaire, conflits et rivalités, séparations.

Jupiter en 7 : indice de réussite, d'amélioration, de générosité réciproque.

Saturne en 7 : célibat ou mariage de raison, peur de l'abandon et soumission ; partenaire souvent plus âgé.

Uranus en 7 : union non conformiste, grande indépendance, union libre ou liaisons avec des partenaires mariés. En cas d'aspect défavorable : divorce.

Neptune en 7 : osmose mystérieuse dans l'union, situations troubles, partenaire insaisissable.

Pluton en 7 : passion profonde, sexualité dévorante, union à haut risque pouvant exploser en vol.

CHAPITRE 5

Des signes et du sexe

5

Bélier

Épris de son corps, l'homme Bélier est une bombe... Le sexe occupe une place prépondérante dans sa vie. Pour ce goinfre des sens, toutes les occasions sont bonnes à prendre. Impulsif, il suit ses pulsions dans sa chasse à la proie. Avec lui, le « corps à corps » est sauvage, frénétique, répété. Grand connaisseur, il fait connaître le vertige à sa partenaire, ne reculant devant aucune provocation. Exhibitionniste et dominateur, il veut tout essayer, les partouzes ne lui font pas peur. Sachez que les dessous sexy l'excitent particulièrement !

Tout comme l'homme du même signe, la femme Bélier domine les jeux sexuels. Insatiable, elle met en pratique tous les fantasmes qui lui traversent l'esprit. Et il y en a beaucoup ! En action, elle est tout feu tout flamme, jouit bruyamment, et son corps s'adapte à toutes les positions du répertoire. Ce n'est pas l'énergie qui manque à cette bagarreuse qui transforme le lit en ring de catch. La bisexualité et l'amour à plusieurs font souvent partie de son palmarès. Son péché mignon : les bas résille et les achats dans les sex-shops.

Taureau

C'est avec les cinq sens en éveil que l'homme Taureau pratique le sexe. Puissant et gourmand, il prend son temps, savoure les plaisirs de la chair avec sa bouche, son nez et ses mains beaucoup plus qu'avec son esprit. Sans perversion ni fantasme, il se consacre avec application aux préliminaires, découvre le corps de sa partenaire dans ses moindres recoins. Ensuite, il fait l'amour avec une énergie peu commune que rien n'arrête, la délicatesse n'étant d'ailleurs pas toujours son fort. Sa renommée : le meilleur amant du zodiaque.

C'est avec grand appétit que la femme Taureau se livre aux plaisirs de l'amour. Quand elle a envie d'un homme, elle le montre sans ambiguïté, avec gourmandise, en réclamant des caresses et des préliminaires... Avec cette femme sensuelle et généreuse pour qui les zones interdites n'existent pas, la débauche guette au tournant. En quête de sensations fortes où les sentiments ne comptent plus, elle ne lésine pas sur les moyens à employer. Sa bouche en ravira plus d'un.

Gémeaux

Joueur et bavard, l'homme Gémeaux a des manières d'adolescent attardé qui nourrit son propre plaisir avant tout. Certes, il connaît ses préliminaires sur le bout des doigts, mais à force de vouloir s'adonner à tous les jeux qui lui traversent l'esprit, il finit souvent par manquer de carburant au moment crucial. Ses exploits ne durent jamais bien longtemps. Il aime stimuler ses talents d'acrobate par des paroles salaces avant de passer réellement à l'action.

Enjôleuse, la femme Gémeaux aime avant tout exciter les hommes qui croisent son chemin, les émoustiller et afficher sa disponibilité. Libertine, elle accepte tout, les ménages à trois, les jeux qui attisent sa curiosité, les amours féminines... Inventive et cérébrale, elle agrémente l'acte sexuel de devinettes et d'histoires pétillantes, mais n'hésite pas à se moquer des performances de ses partenaires. De toute façon, pour elle, l'amour se situe plutôt du côté des caresses que dans l'acte lui-même, qu'elle préfère rapide.

Cancer

Toujours prêt à écouter les désirs de sa partenaire, l'homme Cancer est tendre et réceptif, et fait montre d'une énergie insoupçonnée. Mais il faut prendre en main cet indécis paresseux. Sa vie sexuelle n'est pas compliquée : il adore les formes et les gros seins, qui lui rappellent sa mère. Lunatique et voyeur, il se laisse faire sans broncher et répond à toutes les initiatives. Toutefois, ses fantasmes sont limités, et sa partenaire doit en avoir pour deux.

Câline, caressante, manipulatrice et possessive, la femme Cancer se plie volontiers à tous les désirs, même contre nature, de son partenaire. Réservée en apparence, elle cache une grande vigueur sexuelle et un tempérament joueur. Elle attend douceur et tendresse de son partenaire, et n'entre jamais dans les fantasmes à plusieurs. Elle adore se faire caresser, tout particulièrement les seins. Un bon 69 n'est pas pour lui déplaire.

Lion

Sexuellement, l'homme Lion est l'un des moins pervers du zodiaque, tout en étant très voyeur et théâtral. Dominateur et narcissique, il prend d'assaut sa partenaire, mais ne perd jamais contenance. Cet amant expérimenté et exhibitionniste brandit son sexe comme un étendard. Il tient à sa réputation de macho et s'enquiert toujours des résultats de ses performances. Lorsqu'il doute de lui-même, c'est l'impuissance garantie.

La femme Lion a une sexualité généreuse et active. Tant qu'elle domine, tout est permis, à l'exception des positions trop acrobatiques qui la déconcentrent. Expansive et souple, elle aime les hommes au physique avantageux qu'elle manipule à sa guise. La flatterie sexuelle la comble ; elle sait manifester son contentement et renvoyer l'ascenseur. La simplicité la caractérise : ses fantasmes ne vont pas plus loin qu'un bon besoin d'admiration. Son partenaire doit aller tout droit au cœur de l'action.

Vierge

L'homme Vierge n'agit jamais sans réfléchir, mais sa sexualité est bien plus forte qu'il n'y paraît. Jamais vulgaire, il a cependant besoin de s'exciter intellectuellement et d'être mis en condition par sa partenaire. Porté vers le toucher, il aime prendre son temps et garder toute sa maîtrise de soi, même dans les situations les plus grivoises. Sa sexualité complexe se révèle parfois complètement loufoque.

La femme Vierge, sous ses airs de fille sage et pudique, dissimule un tempérament fantasmatique hors du commun. Une fois mise en confiance par son partenaire, elle laisse libre cours à une infinité de pratiques érotiques. Fanatique des préliminaires suaves, elle n'a aucune inhibition pour la suite des opérations. Elle se livre totalement, mais seulement avec l'homme de sa vie. S'il s'agit d'une Vierge « folle », aventures multiples et intéressées sont à prévoir.

Balance

Raffiné et séduisant, l'homme Balance est le roi du flirt sans avoir l'air d'y toucher. Sa spécialité : la main baladeuse. Son obsession : conclure, mais attention, toujours avec classe et douceur. Doué pour le marivaudage et les jeux de l'amour courtois, ce grand romantique cache une frénésie de la culbute. Au lit, il va tout droit à la cible, mais sans aucune brutalité. Ses manières délicates, à la lisière de l'homosexualité, en font le confident favori de ces dames.

Charmeuse et caressante, la femme Balance ne résiste à aucune envie, et elle n'en manque pas... Professionnelle du regard en douce et des jeux interdits, elle joue la fausse pudeur avec un art consommé. En amour, elle n'y va pas par quatre chemins et ne s'attarde pas aux préliminaires. Ne la faites pas patienter, elle apprécie que les ébats en viennent rapidement à l'essentiel, et son plaisir est particulièrement sonore. Douée d'une bouche accueillante, elle joue ensuite l'outragée jusqu'à la prochaine fois.

Scorpion

Obsédé d'érotisme, l'homme Scorpion est un partenaire intense et exigeant. Toutes les inventions et les perversions le tentent ; il y consacre le temps nécessaire, alternant douceur et violence, tendresse et cruauté. Le besoin de corrompre ne lui laisse aucun répit et sa partenaire a intérêt à se montrer à la hauteur si elle ne veut pas voir sa pudeur foulée aux pieds...

La femme Scorpion met toujours en œuvre ses fantasmes, qui ne manquent d'ailleurs pas de sel. Gourmande, experte et provocante, c'est la reine du sexe insatiable. Cette perverse se livre avec délectation à tous les plaisirs, avec un, une ou plusieurs partenaires. Elle n'a pas peur de l'obscénité, bien au contraire... Son charme fatal force le destin et ses compagnons à assouvir sa sensualité.

Sagittaire

Indépendant, conquérant, libre et libertin, l'homme Sagittaire a un appétit sexuel féroce. Ce don Juan que rien n'arrête sait ce qu'il veut et il l'obtient. Pas de préliminaires, il est tout de suite en action et toujours prêt à recommencer. Les aventures insensées l'attirent irrésistiblement ; il s'y lance avec fougue et un zeste de brutalité. Sa vocation : les femmes mariées.

Intense, flirteuse et imaginative, la femme Sagittaire saute sur son partenaire sans manières. Son tempérament amoureux en fatiguera plus d'un. Elle est attirée par les hommes virils, qu'elle cherche à emprisonner et à réduire à sa merci. Mais elle adore surtout les situations imprévisibles,

les rencontres fulgurantes, le flirt qui se conclut... pourquoi pas en groupe ! Jamais elle n'aguiche pour rien.

Capricorne

Stable, fidèle et sérieux, l'homme Capricorne est consciencieux et perfectionniste en amour. Il aime faire plaisir à sa partenaire et dispose pour cela d'une nature infatigable, parfois très sensuelle. Certes, les fantaisies et les fantasmes érotiques ne semblent pas son fort, mais en creusant un peu, on retrouve chez cet homme des tendances au masochisme et au fétichisme sexuel !

Puritaine et sobre en apparence, la femme Capricorne cache une énergie sexuelle peu commune. Elle aime avant tout se plier aux désirs de son compagnon et ne refuse jamais une longue nuit agitée. Cette femme généreuse oscille entre un masochisme flegmatique et un sadisme glacé. La compagnie féminine n'est pas sans lui déplaire.

Verseau

Tolérant, libre et ouvert, l'homme Verseau fait preuve d'une sexualité très inventive et d'un anticonformisme redoutable pour ses partenaires. Ce curieux peut passer d'un homme à une femme tout en refusant la grossièreté. Son étreinte est douce et son esprit agile, car c'est un cérébral en quête d'émotions fortes. Les situations farfelues le stimulent et peuvent le mener sur toutes les routes expérimentales.

Spécialiste de la trahison conjugale, la femme Verseau suit les impulsions de sa curiosité extravagante. Les stimulations verbales et les situations imprévues la rendent électrique et docile. Ses relations sexuelles sont placées sous le signe de l'irrationnel et de la bisexualité. Découvrir ce que cette femme moderne est capable d'inventer au quotidien relève de l'impossible. Son péché favori : les préliminaires vibrants.

Poissons

Sensuel et charmeur, l'homme Poissons a l'imagination féconde et les caresses les plus renommées du zodiaque. Les amoureuses de l'érotisme cérébral et sophistiqué en raffolent. Insaisissable et imprévisible, il s'occupe davantage de son propre plaisir que de celui de sa partenaire, qu'il peut laisser en plan sans ménagement. Attaché à sa liberté sexuelle, il peut néanmoins être pris au piège de son caractère masochiste.

Envoûteuse et dévouée, la femme Poissons a des mains de rêve. Ses caresses félines flattent la virilité de ses nombreux conquérants. Elle adore plus que tout les baisers interminables et les « corps à corps » langoureux où on se frôle pendant des heures. Cette adepte des massages n'accorde pas une très grande importance à l'acte sexuel lui-même. Tendant au masochisme, elle cherche toujours un homme pour la dominer et l'entretenir.

Bibliographie

Arroyo, Stephen, *L'astrologie, la psychologie et les quatre éléments*, Éditions du Rocher.

Aubier, Catherine, *Le livre de vos affinités astrales*, Éditions Solar.

Barbault, André, *Traité pratique d'astrologie*, Éditions du Seuil.

Gravelaine, Joelle de, *Connaissez-vous par votre signe astral*, Éditions de la Pensée Moderne.

Hallronn, Jacques, *Clés pour l'astrologie*, Éditions Seghers.

Hollander, Xaviera, *Manuel du sexe de Gilda*, Éditions Alta.

Hornung, Camille, *Astrologie pour demain*, Chaîne européenne d'édition.

Mailly-Nesle, Solange de, *Le thème astral*, Nathan.

Maisonblanche, Frédéric, *La nouvelle astrologie*, Éditions Flammarion.

Mezo, Étienne, *Le partenaire astral*, Éditions du Rocher.

Parker, Derek et Julia, *L'art de l'astrologie*, Éditions Robert Laffont.

Rudhyar, Dane, *Astrologie de la personnalité*, Librairie de Médicis.

Bibliographie

Rudhyar, Dane, *Les maisons astrologiques,* Éditions du Rocher.

Rudhyar, Dane, *Le rythme du zodiaque,* Éditions du Rocher.

Ruperti, Alexander, *Les cycles du devenir,* Éditions du Rocher.

Sabadini, D., *Les signes du zodiaque et l'amour,* Éditions de Vecchi.

Saint-Arnauld, Régine, *L'ABC du zodiaque,* Éditions Marabout.

Souvay, Liliane, *Astrologie, signes, ascendants, affinités astrales,* Éditions Bussière.

Villée, François et Lugol, Josée, *Astrologie des profondeurs ou des motivations,* Éditions Traditionnelles.

DANS LA COLLECTION LUMIÈRES

EN CADEAU!
Votre **carte du ciel** et votre **profil astrologique**

Remplissez et renvoyez-nous le plus rapidement possible
ce coupon-réponse et vous recevrez **gratuitement** chez vous,
et sans aucun engagement :

– **la carte du ciel en couleurs** de votre jour de naissance
– **l'analyse de votre personnalité astrologique**
détaillée dans un dossier de cinq à six feuillets.

Les renseignements pour mon thème astral :

Prénom _____

Date et heure de naissance |__|__| |__|__| |__|__| à |__|__| heures |__|__| minutes
JOUR   MOIS   ANNÉE

Lieu de naissance : Ville _____

Province _____   Pays _____

Mon adresse :

Nom _____   Prénom _____

Adresse _____

Ville _____   Province _____

Pays _____   Code postal _____
25

Mes centres d'intérêt :
❑ Astrologie
❑ Paranormal
❑ Psychologie
❑ Divination
❑ Spiritualité
❑ Autres (préciser) _____
_____

J'effectue habituellement mes achats :
❑ En librairie
❑ En grands magasins
❑ Par correspondance
❑ Autres (préciser) _____

Je lis des ouvrages d'ésotérisme :
❑ Souvent
❑ Régulièrement
❑ Parfois

Je souhaite, sans aucun engagement :
❑ Être tenu au courant
   de vos nouveautés et promotions
❑ Recevoir régulièrement
   vos catalogues

Renvoyez ce coupon-réponse sous enveloppe affranchie à

ÉDITIONS DE BRESSAC
5, avenue du Maréchal Juin
92100 BOULOGNE
France